CB061397

GREGOS
MITOS E HERÓIS

PandorgA

Copyright © 2024 Pandorga
All rights reserved. Todos os direitos reservados.
Editora Pandorga
1ª Edição | 2024

Diretora Editorial
Silvia Vasconcelos

Coordenador Editorial
Equipe Pandorga

Assistente Editorial
Flávio Alfonso

Capa
Gabrielle Delgado

Projeto gráfico e Diagramação
Gabrielle Delgado
Rafaela Villela
Livros Design

Organização
Isabella Demarchi
Michael Sanches

Revisão
Equipe Pandorga
Ricardo Marques

Aviso legal: Este livro contém nudez artística e relatos sensíveis a vítimas de abuso sexual e violência contra a mulher. Os pontos de vista do período da Antiguidade, contudo, não refletem os valores da Editora Pandorga e de seus colaboradores.

PandorgA

Dados Internacionais de Catalogação na Publicação (CIP) de acordo com ISBD

G823
    Gregos mitos e heróis / organizado por Isabella Demarchi ; coordenado por Silvia Vasconcelos. - Cotia : Pandorga, 2024.
    240 p. : il. ; 16cm x 23cm.

    Inclui índice.
    ISBN: 978.65.5579.257.7

    1. Mitologia grega. I. Vasconcelos, Silvia. II. Título.

2024-1125   CDD 292.13
                                                                       CDU 292

Elaborado por Odilio Hilario Moreira Junior - CRB-8/9949
Índice para catálogo sistemático:
1. Mitologia Grega 292.13
2. Mitologia Grega 292

GÓRGONA

SUM

I. QUEM FORAM OS GREGOS E OS ROMANOS DA ANTIGUIDADE?

Os antepassados dos gregos	11
A civilização grega entre os séculos VIII e V AEC	17
O Período Helenístico	21
Helenidade	23
Todos os caminhos levam a Roma	25
Os antepassados dos romanos	27
Monarquia	28
República	30
Império	33

II. UMA OUTRA GÊNESE

Prometeu e Epimeteu	39
Pandora: a primeira mulher	42
As cinco idades do homem	43

III. DE TROIA A ROMA

A fundação de Troia	49
O casamento de Tétis e Peleu & o pomo da discórdia	53
O rapto de Helena	56
A expedição para Troia	59
Os primeiros nove anos de guerra	62
A ira de Aquiles	63
A morte de Aquiles	67
O fim da guerra	69
O retorno de Odisseu	71
Eneida	80
Troia e os vencidos Penates em busca da Itália distante	82
Rômulo e Remo	89

IV. HERÓIS

Jasão	97
Héracles - Hércules	109
Perseu	133
Teseu	139

V. TRAGÉDIAS

Cassandra	151
Agamêmnon e Clitemnestra	153
Medeia	154
Édipo	157

VI. OUTROS MITOS

As Amazonas	163
Atlantis - Atlântida	168
Belerofonte	171
Cupido e Psiquê	173
Faetonte e o carro do Sol	176

VII. CRIATURAS PRODIGIOSAS

Centauros	181
Cila e Caríbdis	182
Ciclopes	183
Cérbero	183
Esfinge	185
Equidna	185
Gigantes	185
Górgonas	186
Greias	188
Harpias	189
Hidra de Lerna	190
Leão de Nemeia	191
Quimera	191
Pégaso	191
Sirenas	193
Tífon	194

VIII. CURIOSIDADES

Gladiadores	199
Mulheres eruditas da Antiguidade	202
Paideía: a educação do homem grego	211
Expressões idiomáticas com origem na mitologia greco-romana	216
As origens dos Jogos Olímpicos	219
Maravilhas do Mundo Antigo	222

Sobre os pesquisadores deste volume	231
Bibliografia	234

I

QUEM FORAM OS GREGOS E OS ROMANOS DA ANTIGUIDADE?

Busto de Homero, famoso poeta grego autor de Ilíada e Odisseia, Séc. II d.C. Napoli, Museo Archeologico Nazionale.

OS ANTEPASSADOS DOS GREGOS

Antes de iniciarmos a nossa jornada pelas histórias que moldaram o pensamento e a cultura ocidental e que nos acompanham até os dias atuais, vale esclarecer quem foram estes dois povos — dentre muitos outros — responsáveis pela construção, registro e transmissão delas: os gregos e os romanos. Mas quem, exatamente, eles foram? De onde vieram e como se tornaram as civilizações esplendorosas que vêm à nossa mente tão logo pensamos na Grécia e em Roma?

Apesar de não ser tão simples definir as origens dos gregos ou os fatores que vieram a unir, de certo modo, as diversas comunidades que antes compunham a Grécia, pode-se dizer que, em um dado momento, gregos eram aqueles que falavam a língua grega. Contudo, antes que eles se estabelecessem no território que chamariam de *Helas* (ou Grécia), outros povos já habitavam a região.

Sabemos, por meio de estudos arqueológicos, conforme discorre o historiador e arqueólogo Pedro Paulo Funari em seu livro *Grécia e Roma*,[1] que algumas populações originárias fundaram assentamentos pela extensão do mar Mediterrâneo ainda no período Neolítico, a partir de 4.500 AEC,[2] e que entre os anos 3.000 e 2.600 AEC, esses povos já haviam criado constituições monárquicas e mantinham uma economia agrícola e pastoril. Povos vindos da Anatólia invadiram a região desses assentamentos, mas trouxeram novas técnicas que proporcionaram a evolução da primeira civilização, como o uso do arado e a prática do comércio pelo Mediterrâneo. Esses eram os **minoicos** (que se estabeleceram em Creta (Grécia Insular) e os **micênicos** (que se estabeleceram em parte da Grécia Continental), descendentes

---

[1] FUNARI, P. P. *Grécia e Roma*. São Paulo: Editora Contexto, 2018. p. 9-21.
[2] Antes da Era Comum (AEC) = Antes de Cristo (a.C.) e Era Comum (EC) = Depois de Cristo (d.C.)

principalmente dos primeiros agricultores neolíticos, provavelmente migrando, milhares de anos antes da Idade do Bronze, da Anatólia, onde hoje é a Turquia moderna.[3]

Uma das ilhas que fazia parte do domínio anatólico era Creta. A civilização que lá floresceu, a minoica, já havia construído um sistema palacial antes de 1.700 AEC, com depósitos para alimentos e um sistema de administração econômica utilizado para controlar seus estoques; eles também possuíam um sistema de escrita com hieróglifos que, infelizmente, nunca foi desvendado, o chamado Linear A.

Crétula com escrita em Linear A.
Archanes, Creta, Grécia. Civilização
Minoica, séc. XV AEC.

---

[3] SCI NEWS. *Minoans and Mycenaeans Descended from Anatolian Migrants, Ancient DNA Study Suggests.* Disponível em: <https://www.sci.news/genetics/minoans-mycenaeans-anatolian-migrants-05100.html>. Acesso em: 17 jan. 2022.

Em meados do segundo milênio AEC, Creta alcançou o seu apogeu, consequência do poder marítimo que tinha sobre o Mediterrâneo. Os micênicos, contudo, mais belicosos, conquistaram os minoicos de Creta por volta de 1450 AEC, sendo que esses últimos estavam possivelmente mais vulneráveis após terem enfrentado um desastre natural.[4] Os micênicos absorveram muito da cultura e da arte minoica, mas substituíram a escrita em Linear A — ainda não decifrada pelos pesquisadores modernos — pela escrita Linear B, que já foi decifrada por sua relação com a língua grega antiga, o que a Linear A não tinha.[5]

Tábua de argila com escrita Linear B, achada no palácio micênico de Pilos.

Contudo, já havia sido no final do terceiro milênio AEC que os antepassados dos gregos chegaram à região que consideramos Grécia Antiga e, conforme foram ganhando força, as civilizações anatólicas entraram em declínio.[6] Esses antepassados logo se estabeleceram nas ilhas do mar Egeu. Eles falavam uma língua indo-europeia, da qual o grego antigo se originou. Esses primeiros povos eram os **jônios**, os **aqueus** e os **eólios**.

Os jônios habitavam a região da Ásia Menor, que hoje é a Turquia; os aqueus vieram dos Bálcãs e se instalaram em boa parte da Grécia Continental;

[4] WIENER, M. H. The Mycenaean Conquest of Minoan Crete. In: MACDONALD, C. F. (Orgs.) *et. al. The Great Islands*: Studies of Crete and Cyprus presented to Gerald Cadogan. Atenas: Kapon Editions, 2015. p. 131-142.

[5] Ibid. p. 131.

[6] FUNARI, P. P. op. cit. pp. 15-16.

os eólios se instalaram na Beócia e na Tessália. Os reis aqueus de Micenas foram os que lideraram o ataque micênico — pois acredita-se que "aqueus" era um termo para se referir à civilização micênica ou, pelo menos, parte dela, porém essa questão ainda é muito debatida e não há consenso — contra os minoicos cretenses, como falado anteriormente, saqueando seus palácios. Os reis aqueus que estavam no Peloponeso, sobretudo na região de Micenas (a capital dos micênicos), enriqueceram rapidamente.[7]

Eles também desenvolveram uma civilização palaciana, mas melhorada, pois começaram a erguer fortalezas. Os palácios passaram a ser centros de exportação e redistribuição de produtos, e eles também fizeram uso da escrita conhecida como Linear B, com a finalidade de registrar e controlar dados administrativos. Os micênicos expandiram seus domínios e sua influência tanto na Grécia Continental quanto para várias outras regiões do Mediterrâneo, marcando o período entre 1.500 e 1.150 AEC com o seu poderio. Entretanto, após esse período, o mundo micênico começou a desaparecer, e as razões que desencadearam o declínio desse império tão poderoso permanecem obscuras até os nossos dias.

Uma das possibilidades mais aceitas é, por outro lado, as invasões que ocorreram no fim do segundo milênio pelos povos dórios: um povo guerreiro que começou a conquistar territórios e a crescer com rapidez. Eles se estabeleceram no Peloponeso, enquanto os aqueus, fugindo desses invasores, buscaram refúgio na costa da Ásia Menor. Com a chegada dos dórios, a cultura micênica foi quase toda destruída, fosse por motivos diversos (como conflitos gerais, incêndios, abalos sísmicos etc.) ou pelo próprio domínio desse novo povo; portanto, os sistemas utilizados pelos micênicos foram completamente abandonados.

Não obstante, com o avanço dos aqueus para a Ásia, o contato com o Oriente se intensificou, e os gregos que lá se instalaram se beneficiaram do conhecimento tecnológico e cultural de civilizações mais sofisticadas do Crescente Fértil, como a egípcia e a mesopotâmica.[8]

Após esse período, entre 1.100 e 800 AEC, instaurou-se o momento que ficou conhecido como "época das trevas", pois muito pouco do que aconteceu chegou até os nossos dias. No entanto, algumas evidências apontam que a população parece ter diminuído e empobrecido, o ferro passou a ser preferido em vez do bronze, os grandiosos palácios deixaram de existir, os escribas

---

[7] Ibid. p. 17.
[8] Ibid. pp. 19-20.

desapareceram e, com eles, a escrita — que foi substituída pela poesia oral recitada em público. Ao mesmo tempo, as novas civilizações mantiveram alguns cultos e alguns rituais herdados dos seus antepassados micênicos. É nesse contexto de transformações e de contribuições micênicas, indo-europeias e orientais que os antigos gregos, conforme conhecemos, começaram a surgir.[9]

Assim, a Grécia Antiga consistia em quatro áreas principais:

I. Grécia Peninsular: corresponde à região do Peloponeso, ao sul do continente.
II. Grécia Continental: a princípio, correspondia à Ática, mas, com o tempo, anexou regiões ao norte do continente.
III. Grécia Insular: consistia nas diversas ilhas, sobretudo no mar Egeu. Eram elas: Creta, Rodes, Lesbos, Quios etc.
IV. Magna Grécia: região das colônias gregas na Sicília e na Itália.

MAPA DA GRÉCIA PENINSULAR, CONTINENTAL E INSULAR

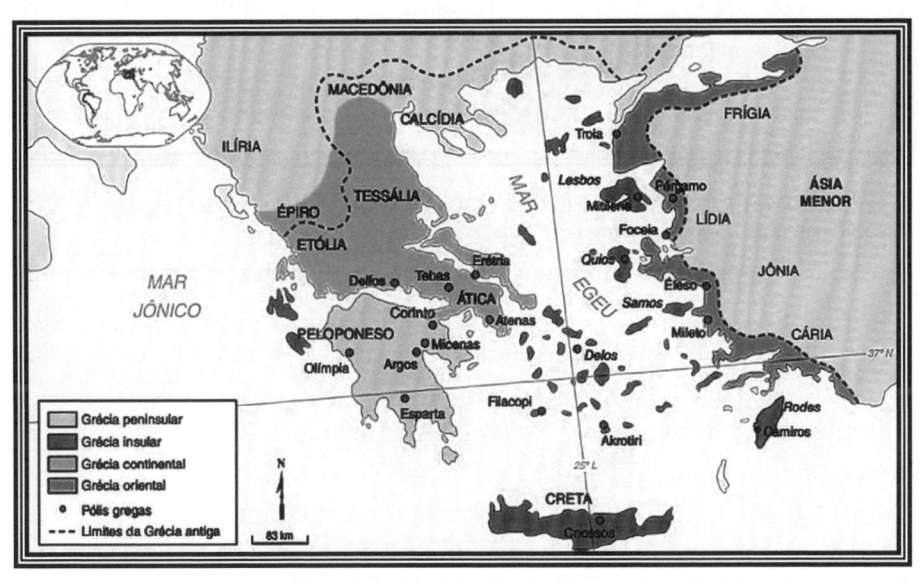

Fonte: Atlas histórico. São Paulo: Encyclopaedia Britannica, 1977, p. 16.

---

[9] Ibid. pp. 20-21.

MAPA DA MAGNA GRÉCIA

Dialetos gregos da Magna Grécia
- Dórico
- Jônico
- Grego do noroeste
- Aqueu

Fonte: WOODARD, R. D. Greek Dialects. In: WOODARD, R. D. (Org.). *The Ancient Languages of Europe*. Cambridge: Cambridge University Press, 2010. p. 50.

A CIVILIZAÇÃO GREGA ENTRE OS SÉCULOS VIII E V AEC

Entre os séculos VIII e VI-V AEC, delimitado pelos primeiros Jogos Olímpicos em 776 AEC, e pela Batalha de Salamina em 480 AEC, temos o que chamamos de Período Arcaico. Esse momento também foi marcado pela oralidade e, consequentemente, pela força das narrativas míticas. Lembremos que os poemas épicos *Ilíada* e *Odisseia*, atribuídos a Homero, datam, mais ou menos, dos séculos IX-VIII AEC. Esses poemas, principalmente a *Ilíada*, apresentam algumas referências à civilização micênica, mas são anacrônicos, pois também apontam práticas e costumes da época do poeta. Vale lembrar, ainda, que apesar de resgatarem episódios históricos, essas narrativas não deixam de ser criações poéticas.

Durante o séc. VIII, a figura central de poder era o βασιλεύς (basileus), uma espécie de chefe regional, proprietário de terras, navegante experiente e, possivelmente, um chefe religioso. Aliás, registros de construções de templos e santuários também datam desse período. Além disso, houve um aumento demográfico, a redescoberta da escrita (através da consolidação do alfabeto grego a partir do alfabeto fenício, um pouco antes de 750 AEC) e o contato com os povos do Mediterrâneo (além do Egeu) se intensificou. Essas devem ter sido algumas das razões para o surgimento das primeiras *póleis* gregas, que representavam tanto o Estado, a comunidade política, quanto o centro urbano de uma comunidade. A princípio, o conceito abarcava muito mais a ideia de participação do que de poder, pois o povo se reunia em uma *pólis* pela afinidade que demonstravam em seus costumes e seus cultos.

A economia do período arcaico consistia na agricultura e na pecuária, mas, como as terras estavam geralmente sob o domínio de grandes nobres, muitos cidadãos que se encontravam à margem da comunidade passaram a migrar para outros lugares, impulsionando um vasto processo de expansão pelo Mediterrâneo, que se fortaleceu a partir de 750 AEC e originou "colônias" gregas na Itália, na Sicília e no norte da África, por exemplo.[10] Assim, o comércio e o artesanato ganharam destaque e, embora as primeiras moedas tivessem sido cunhadas por volta dessa época (entre os séculos VII e VI AEC), o sistema de troca ainda era muito forte no Mediterrâneo, pois as cidades-estados possuíam moedas próprias e, portanto, o valor monetário era diferente em cada uma dessas *póleis*.

As transformações avançaram, fazendo surgir novas ideias, atividades econômicas, produções poéticas, lideranças e novos modelos políticos. O período entre 650 a 510 AEC, por exemplo, é referido por alguns historiadores como "a era dos tiranos", figuras que marcaram o desenvolvimento político grego, pois ganharam força em um momento em que a velha ordem estava ruindo, sem que a nova ordem tivesse, de fato, se consolidado. Esse período de incertezas favoreceu a liderança dos tiranos, que ofereciam uma proposta de governo mais eficaz e mais segura.[11] Aristocratas, os tiranos eram governantes soberanos que incentivavam e patrocinavam artistas e poetas, construíam templos e eram engajados com as atividades públicas, com a finalidade de mostrarem seu poder e construírem sua fama.

A tirania podia ser encontrada em várias regiões da Grécia e, apesar de ter encontrado seu auge no séc. VI AEC, permaneceu por muito mais tempo na Magna Grécia, sobretudo na Sicília. Vale ressaltar que os tiranos da Grécia Antiga não correspondiam exatamente aos líderes opressores e cruéis conforme entendemos hoje. Os primeiros registros que mencionam os tiranos referiam-se a eles como um "rei" (basileus), por exemplo. Com o tempo, a palavra τύραννος (týrannos) passou a ganhar novas interpretações e começou a ser distinguida de basileus. Foi com os filósofos, sobretudo com Platão, e não antes do séc. IV AEC, que as palavras "tirano" e "tirania" ganharam a carga de sentido negativa que conhecemos.[12]

Dois exemplos populares de cidades gregas, Atenas e Esparta, destacaram-se também por seus modelos de organização política: Esparta era uma cidade aristocrática e militar, ao passo que Atenas se tornou o maior exemplo de democracia.

---

[10] Cabe ressaltar que os termos "colônia" e "colonização" são anacrônicos. A formação de *apoikías*, "colônias", pelos gregos em nada se assemelhou ao processo de colonização que as potências imperialistas europeias impuseram às suas colônias a partir dos séculos XV-XVI EC. As *apoikías* não eram governadas ou influenciadas politicamente pelas cidades que as fundavam, mas mantinham, entre si, relações comerciais e religiosas.

[11] ANDREWS, A. The Greek Tyrants. New York: Harper & Row, 1963. pp. 7-19.

[12] Ibid. p. 20-30.

Esparta estava localizada na região da Lacônia, a sudeste do Peloponeso. Era uma região de solo fértil, mas que também apresentava grandes elevações e pântanos em sua costa, o que dificultou muito o comércio marítimo, fazendo com que a cidade se isolasse de suas vizinhas. Outro fator que contribuiu para o distanciamento entre Esparta e as demais *póleis* foi o próprio processo de expansão espartano: no final do século VII AEC, Esparta já tinha conquistado um terço do Peloponeso e submetido os povos dominados às suas leis e costumes. No entanto, como o número de subjugados ultrapassava o número de espartanos, estes decidiram abrir mão de alguns territórios que eram difíceis de serem mantidos a longo prazo e acabaram se fechando às influências estrangeiras, às novidades e às transformações.

Detalhe de Leônidas I, rei de Esparta na pintura *Léonidas aux Thermopyles*. Jacques-Louis David, 1814.

Desse modo, portanto, os espartanos tornaram-se demasiadamente rígidos para manter a ordem que haviam estabelecido. O poder, inclusive, era muito concentrado e cabia a um número limitado de homens que integravam a *Gerúsia*, uma espécie de conselho composto por anciãos. Além disso, todos os homens espartanos deveriam se dedicar à vida militar, após terem passado por um severo processo de treinamento, que começava desde cedo, quando ainda eram crianças. Esse foi o aspecto mais marcante da cultura de Esparta.[13]

Atenas, por outro lado, era uma *pólis* muito mais flexível e dinâmica. Situada na região da Ática, onde o solo era pouco fértil, Atenas conseguiu estabelecer o cultivo de oliveiras e de uvas, o que contribuiu para o desenvolvimento da atividade agrícola no local. Os atenienses também praticavam a mineração da prata e, graças à sua localização, o comércio marítimo era forte. Entre os séculos IX-VI AEC, Atenas possuía um regime político aristocrático, ou seja, somente os nobres podiam governar, porém o avanço do contato entre os atenienses e seus vizinhos no Mediterrâneo fez crescer o poder econômico do povo, denominado *demos*. Muitos comerciantes enriqueceram e passaram a pressionar os aristocratas a fazerem concessões políticas,[14] mas a aristocracia não foi substituída pela democracia de imediato; os atenienses passaram, inclusive, pela tirania de Pisístrato, entre 560 e 527 AEC, um governante moderado e favorável à cultura.

A democracia ateniense floresceu após as Guerras Pérsicas, com a figura de Péricles, que governou Atenas entre 440 e 432 AEC. Contudo, esse era um modelo restrito, uma vez que só permitia a participação de homens adultos (acima de 18 anos) nascidos de pai e mãe atenienses, ou seja, estrangeiros, mulheres e escravos (geralmente prisioneiros de guerra) não tinham qualquer participação ativa na vida política da cidade. Os cidadãos, então, participavam da Assembleia, que acontecia em uma praça para essas reuniões ou na Ágora, a praça do mercado, quando havia um grande número de participantes. As decisões tomadas na Assembleia eram soberanas, mas passavam pela análise e aprovação de um conselho, a *boulé*.[15]

---

[13] FUNARI, P. P. *op. cit.* pp. 29-33.
[14] Ibid. p. 34.
[15] Ibid. pp. 38-40.

Discurso Fúnebre de Péricles.
Philipp von Foltz, 1877.

O PERÍODO HELENÍSTICO

Com a derrota de Atenas para Esparta na Guerra do Peloponeso em 404 AEC, as cidades gregas independentes se enfraqueceram e começaram a lutar entre si. Aproveitando a vulnerabilidade das cidades, Filipe II, rei da Macedônia, começou a conquistá-las e a formar seu império, que teve continuidade com seu filho Alexandre, o Grande.[16]

---

[16]   Ibid. p. 80.

Detalhe de Alexandre, o Grande, na pintura *Abdolonyme paraissant devant Alexandre*. Jean Restout, 1737.

Entre 336 e 323 AEC, Alexandre comandou o novo império grego e fundou diversas outras cidades. Alexandria, no Egito, nomeada a partir do "imperador", destacou-se como um polo cultural e um ponto de encontro entre as culturas egípcia e grega. Lá se encontrava a ilustre Biblioteca de Alexandria, que também era uma espécie de instituição para pesquisas e para as atividades dos copistas, por exemplo, que editavam e copiavam textos antigos.

Com a morte de Alexandre em 323 AEC, o império começou a ruir, desmembrando-se em três reinos: um na Macedônia, um no Egito e um na Mesopotâmia.[17] Essas monarquias — chamadas de reinos helenísticos —

---

[17]   Ibid. pp. 81-82.

foram, pouco a pouco, sendo incorporadas pelo Império Romano a partir do séc. II AEC, mas as cidades gregas que restaram conseguiram manter algumas de suas tradições.

HELENIDADE

Foi durante o império de Alexandre e até o ano de 146 AEC que a língua grega passou a ser utilizada como a língua franca da região entre a Grécia, o norte da África e a Ásia. Por causa disso, esse período da história ficou conhecido como o Período Helenístico, uma vez que os gregos se reconheciam como helenos, e a Grécia era a Hélade ou Helas.

Além dos aspectos arqueológicos e históricos que discutimos, outras características devem ter conferido aos gregos a unidade para qualificá-los como uma só civilização. Essa identidade em comum, denominada "helenidade" pelo historiógrafo Heródoto (séc. V AEC), e que tem como pilares a descendência, a língua, a religião e os costumes, é o que o estudioso Jonathan Mark Hall examina no minucioso artigo chamado *Quem eram os gregos*.[18] Em primeiro lugar, segundo Hall,[19] é curioso que os termos "Helas" ou "helenos" só vieram a aparecer tardiamente nas fontes textuais; nos poemas épicos *Ilíada* e *Odisseia*, por exemplo, os gregos referem a si mesmos como aqueus, dânaos e argivos, e eles vinham de Argos ou da Acaia. O termo Helas foi empregado pela primeira vez sem qualquer ambiguidade no século VI AEC pelo poeta Xenófanes. Ainda nesse mesmo século — que foi, como sugerido por Hall,[20] "um período crucial para a cristalização da identidade grega" —, o poema fragmentário *Catálogo de Mulheres*, de Hesíodo, registra as origens míticas do povo grego.

O poema narra que um herói chamado Heleno, descendente de um outro herói tessálio, Deucalião, teve três filhos: Doro, Xuto e Éolo. Xuto, por

---

[18] HALL, J. M. Quem eram os Gregos. In: *Revista do Museu de Arqueologia e Etnologia*, vol. 11. São Paulo, 2001, pp. 213-225.
[19] Ibid. p. 216
[20] Ibid. p. 218

sua vez, teve os filhos Aqueu e Íon. Assim, Éolo representava as populações da região central da Grécia, da Tessália, da Beócia e de parte da Anatólia: os eólios. Doro deu origem aos habitantes do Peloponeso, das ilhas ao sul do Egeu e o sudeste da Ásia menor: os dórios. Íon teria engendrado os povos que ocuparam Atenas e a Ática, a Eubeia, as Cíclades e a costa central da Anatólia: os jônios. Aqueu, por fim, teria sido o primeiro da linhagem dos povos que se estabeleceram ao sul do Golfo de Corinto: os aqueus. Desse modo, eólios, dórios, jônios e aqueus eram considerados gregos, ou melhor, **helenos**, pois eram descendentes de Heleno.[21]

Em segundo lugar, se a princípio os gregos se identificavam como uma só civilização pelos traços que tinham em comum, depois da invasão das Guerras Pérsicas (500-448 AEC) eles passaram a refletir também sobre as diferenças entre eles e outros povos, como os do Oriente. Nesse contexto, o adjetivo e o substantivo βάρβαρος (transliteração: *bárbaros*), "bárbaro" no português, passou a ser empregado com mais frequência para designar não apenas os persas, mas todos os outros povos não gregos, e esse termo ganhou uma conotação bastante negativa.[22]

Nesse sentido, e retomando os quatro pilares da helenidade propostos por Heródoto, a cultura comum parecia ser o fator definitivo para estabelecer quem eram os gregos, muito mais do que uma descendência compartilhada, por exemplo. Acredita-se, inclusive, que Atenas teve um papel fundamental na compreensão da identidade grega, sobretudo após o séc. V AEC, com o fortalecimento da democracia.[23]

Hall também aponta problemas e lacunas a serem resolvidos nesse percurso para traçar a origem dos povos helenos, porém ele sustenta que os gregos estavam sempre no processo de se tornarem gregos, e que os fatores cruciais para a consciência de uma identidade grega vieram à tona para eles no mesmo período que nós, hoje, consideramos a época mais célebre da Grécia.

---

[21] Há alguns problemas com essa versão que não mencionaremos aqui. Cf. HALL, J. M. *op. cit.* pp. 218-219.
[22] Ibid. p. 219.
[23] Cf. HALL, J. M. op. cit. pp. 223-224.

TODOS OS CAMINHOS LEVAM A ROMA

Se é tal como diz o ditado, e todos os caminhos levam a Roma, a pergunta que nos resta é: mas de onde Roma veio? Ou melhor, de onde os romanos vieram? Assim como com os gregos, a história da origem do povo romano possui uma explicação mitológica, transmitida pelos textos dos próprios romanos antigos — principalmente pelos textos dos poetas e mitógrafos — e uma explicação científica, à qual temos acesso hoje por meio de estudos modernos da arqueologia, da arqueogenética e da linguística histórica. Nós nos concentraremos aqui neste capítulo mais sobre a explicação científica, uma vez que o mito de fundação de Roma estará melhor narrado nos capítulos "Eneida" e "Rômulo e Remo" deste livro.

A primeira distinção a ser feita quando falamos de Roma é entre a cidade italiana moderna e a Roma Antiga. Na Antiguidade, Roma não era apenas uma cidade, mas "todo um império, um imenso conglomerado de terras que, no seu auge, se estendia da Grã-Bretanha ao Rio Eufrates, do Mar do Norte ao Egito".[24]

---

[24] FUNARI, P. P. *op. cit.* p. 77.

Gravura do séc. XIX. *El Mundo Ilustrado*, 1881.

OS ANTEPASSADOS DOS ROMANOS

A Península Itálica, por várias razões, foi lugar extremamente propício para o desenvolvimento de diversos povos, os quais acabaram estabelecendo extenso contato entre si e com outros fora da península. Dentre os povos que ocuparam a Península Itálica estão os indo-europeus, que migraram para o local em diversas levas, sendo a mais antiga delas, pelo que sabemos, por volta de 1800 AEC.[25]

Além deles, alguns especialistas afirmam que havia um povo autóctone que, com o passar do tempo, veio a ser chamado de etrusco e combinava elementos gregos e orientais.[26] Com relação ao povo etrusco ser originário da Península Itálica, há muita discussão,[27] mas o mais importante é que a hipótese mais aceita indica que "Roma teria sido fundada na região do *Latium* (Lácio) por chefes etruscos que teriam unido numa única comunidade diferentes povoados sabinos e latinos",[28] descendentes dos povos indo-europeus que haviam migrado principalmente para o sul da ilha.

Até o ano de 753 AEC, Roma não passava de uma pequena povoação, inclusive, a renomada classicista britânica Mary Beard nos diz que uma das questões que continua nos movendo a estudar a Roma Antiga é a de como uma pequena e banal vila na Itália Central se tornou dominante de tal maneira que conquistou tantos territórios em três continentes.[29] A resposta a essas questões varia muito. Vai desde relações sociopolíticas até o conhecimento adquirido com povos estrangeiros. Contudo, o fato é que, dentro do espaço de tempo de 753 AEC até o ano de 509 AEC, Roma se tornou uma

---

[25] BRITANNICA. *Indo-European People*: Italy. Disponível em: <https://www.britannica.com/topic/Indo-European>. Acesso em: 18 jan. 2023.
[26] FUNARI, P. P. *op. cit.* p. 82.
[27] DE GRUMMOND, N. T. Ethnicity and the Etruscans. In: MCINERNEY, J. (Org.). *A Companion to Ethnicity in the Ancient Mediterranean*. Chichester: John Wiley & Sons, Inc., 2014. pp. 405–422.
[28] FUNARI, P. P. *op. cit.* p. 82.
[29] BEARD, M. *SPQR*: A History of Ancient Rome. Londres: Profile Books, 2015. p. 20.

cidade pavimentada, fortificada, com um intrincado sistema de esgoto e com uma língua corrente consolidada: o latim.[30]

Ilustração de membros da sociedade etrusca. Da esquerda para a direita: três guerreiros, um sacerdote, um rei, duas mulheres da nobreza, um homem e uma mulher da alta sociedade.

MONARQUIA

> *"História romana também exige um tipo particular de imaginação."*
>
> MARY BEARD [31]

Este, com certeza, é o período mais obscuro de Roma. A tradição literária que temos deste momento é bem posterior, ou seja, para os próprios autores que escreveram sobre ele, já era uma distância temporal gigante. Talvez, por isso, eles rechearam as histórias com extrema fantasia, tornando impossível

---

[30] FUNARI, P. P. *op. cit. loc. cit.*
[31] Classicista e professora de Estudos Clássicos na Universidade de Cambridge. BEARD, M. *SPQR: A History of Ancient Rome.* Londres: Profile Books, 2015. p. 21.

comprovar sua veracidade. Mesmo acerca das partes mais realistas, a arqueologia pouco conseguiu provar.

Dois fatos muito específicos atrapalham as comprovações arqueológicas sobre esse período. A primeira delas é o desenvolvimento urbano que a cidade de Roma teve com a unificação da Itália em 1871. Nesse momento a cidade foi elevada ao status de capital, e muitas ruas foram pavimentadas, e muitos edifícios públicos e privados foram erguidos.[32] Tudo isso dificulta o poder de atuação dos arqueólogos e restringe os locais de escavação. O segundo motivo é que as pedras usadas para construção pelos habitantes da Itália Central, nesse período inicial de Roma, eram tufas, menos resistentes que as pedras usadas pelos gregos, por exemplo. Isso faz com que menos material tenha resistido à ação dos vários séculos.

A monarquia é um período que a tradição romana coloca como do ano de 753 AEC (a fundação mítica de Roma) até 509 AEC (a instauração da República). Durante esse período de 244 anos, sete reis — incluindo o lendário Rômulo, sobre o qual falaremos mais tarde — governaram o território romano. Após a morte de Rômulo, Numa Pompílio foi eleito rei pela assembleia das cúrias e durante seu reinado organizou sistematicamente as instituições religiosas romanas: o calendário religioso, os sacerdócios etc. E a ele são atribuídas essas funções por associação do seu nome "Numa" com a palavra latina "Numen", que significa "poder divino, divindade". Esse costume de associar os nomes dos reis às características do seu reinado vai ser aplicado a praticamente todos os reis romanos como, por exemplo, com o sucessor de Numa, Túlio Hostílio, que era hostil no sentido bélico; com o último rei Tarquínio, o Soberbo, que tem um nome autoexplicativo e com vários outros.[33]

Esse conjunto de sete reis era majoritariamente composto por homens de origem sabina e etrusca. E uma característica interessante é que a sucessão entre eles não era hereditária, mas eletiva, por meio de votação na assembleia das cúrias. Como podemos ver pela lista a seguir, os últimos reis de Roma eram da dinastia tarquínia, o que pode sugerir que estavam tentando "hereditariezar" a sucessão real, e isso, por sua vez, pode ter contribuído para o desgaste desse sistema e a consequente instituição da República.

---

[32] FORSYTHE, G. *A Critical History of Early Rome*: From Prehistory to the First Punic War. Los Angeles: California University Press, 2005. p. 82.

[33] Ibid. p. 97.

REIS DE ROMA

> 753-716 AEC: Rômulo (37 anos)
>
> 716-715 AEC: Um ano de interregno (governo sem líder)
>
> 715-672 AEC: Numa Pompílio (43 anos)
>
> 672-640 AEC: Túlio Hostílio (32 anos)
>
> 640-616 AEC: Anco Márcio (24 anos)
>
> 616-578 AEC: Tarquínio, o Velho (38 anos)
>
> 578-534 AEC: Sérvio Túlio (44 anos)
>
> 534-509 AEC: Tarquínio, o Soberbo (25 anos)

Adaptado de: FORSYTHE, G. *A Critical History of Early Rome*: From Prehistory to the First Punic War. Los Angeles: California University Press, 2005. p. 98.

REPÚBLICA

"Os romanos de tempos posteriores sabiam ainda menos sobre os alegados 244 anos dos sete reis do que eles sabiam sobre os 245 anos do começo da República."

GARY FORSYTHE [34]

Se a monarquia foi o período mais obscuro da história romana, envolto em diversos mitos, o começo da República de Roma também não foi muito diferente disso. A transição entre o período monárquico e o republicano foi explicada com base em uma história mitológica. Assim como a história dos reis romanos possuía um roteiro que combinava "tradições orais romanas e

---

[34] Professor Doutor de História Greco-Romana Universidade da Pensilvânia. Cf. FORSYTHE, G. *op. cit.* p. 78.

adaptações de mitos gregos, todos engenhosamente entrelaçados um ao outro por gerações de habilidosos contadores de histórias romanos",[35] o início da República sofreu um processo de transmissão muito similar.

Suicídio de Lucrécia.
Guido Reni (Ateliê), 1625-40. Acervo MASP.

[35]   Ibid. loc. cit.

A história narrada por Tito Lívio e Dionísio de Halicarnasso, ambos historiadores, conta que o príncipe Sexto Tarquínio, filho do último rei de Roma, Tarquínio, o Soberbo, estuprou uma nobre romana casada, após ameaçá-la com uma faca e com a completa desonra. Após o ocorrido, Lucrécia chama seu marido e seu pai, conta-lhes o ocorrido e se suicida. O abuso cometido contra ela e seu posterior suicídio causam uma revolta que culmina na expulsão da família real tarquínia de Roma, e a substituição de um rei por dois cônsules eleitos anualmente e um sacerdote responsável pelas cerimônias e sacrifícios religiosos públicos (*rex sacrorum*) nomeado para exercer seu cargo vitaliciamente.[36]

Daí em diante (de 509 AEC-27 AEC) a República romana foi uma época em que o senado se tornou um centro governamental; Roma começou a conquistar não só a península da Itália, mas territórios fora dela; houve guerras; formações de triunviratos, alianças políticas entre três homens; desenvolvimento da literatura latina e da retórica; emulação de artes e ideias estrangeiras, entre muitíssimos outros eventos e avanços que não nos cabe narrar aqui.

Fato é que, com o passar do tempo, os políticos tinham ideias tão diferentes sobre como conduzir o Estado e já estavam tão corrompidos pelo poder e pelas riquezas excessivas, que isso favoreceu as constantes guerras intestinas (guerras civis)[37] e fortaleceu a fama e a influência de figuras autoritárias — como o ditador Júlio César e posteriormente seu sobrinho-neto/filho adotivo, Otávio Augusto —, que prometiam a pacificação e a conciliação de Roma.

---

[36] Ibid. p. 147.

[37] SILVA, M. A. O. Da República ao Império: considerações sobre as biografias de Plutarco. In: POMPEU, A. M. C.; SOUZA, F. E. O. (Orgs.). *Grécia e Roma no universo de Augusto*. Coimbra: Imprensa da Universidade de Coimbra, 2015.

IMPÉRIO

> *"Quer as pessoas gostassem dele ou o odiassem, ele foi de várias formas um intrigante e contraditório revolucionário. Ele foi um dos mais radicais inovadores que Roma alguma vez já viu."*
>
> MARY BEARD [38]

Augusto, anteriormente apenas Otávio, foi o primeiro e um dos mais memoráveis imperadores romanos. Isso se deve não só à sua política, mas pela massiva estratégia propagandística de sua política imperial e de sua própria imagem. A transição da República para o Império pode parecer ter sido brusca, mas não foi bem assim.

Com a morte de César nos idos de março de 44 AEC, o segundo triunvirato se forma, com Otávio, Marco Antônio e Lépido como triúnviros, prometendo vingar seu assassinato e restaurar a paz que o caos da violência cometida afastou. Essa união logo não dá certo, e Marco Antônio parte para o Oriente, casa-se com Cleópatra em 37 AEC, rompe de vez com Otávio em 33 AEC e finalmente é derrotado por ele na Batalha de Ácio em 31 AEC.[39]

Otávio prometia sempre restaurar a República, mas isso nunca aconteceu. Aliás, ele nunca aceitou o título de ditador ou se autodeclarava rei, uma vez que ambos os cargos traziam aos romanos memórias de épocas obscuras de autoritarismo. Em vez disso, Otávio — já nomeado Augusto em 27 AEC — começa a acumular vários poderes republicanos como de cônsul, tribuno etc., além de funções religiosas como de

Estátua de Augusto do tipo Prima Porta, Anacapri, Itália.

---

[38] BEARD, M. *SPQR: A History of Ancient Rome*. Londres: Profile Books, 2015. p. 181.
[39] MARTINS, P. *Imagem e poder*: considerações sobre a representação de Otávio Augusto. São Paulo: Edusp, 2011. p. 212.

pontífice máximo.[40] Essa estratégia foi muito eficaz, pois como nos diz Mary Beard, isso não quer dizer que os romanos eram tão desatentos de modo a serem incapazes de enxergar a autocracia se escondendo em roupagem de cargos republicanos, mas o caso foi que Augusto estava sabiamente adaptando as instituições e as representações tradicionais romanas e usando-as para justificar e tornar mais compreensível a estruturação de um novo eixo de poder, ao reconfigurar uma linguagem antiga.[41]

E depois de Augusto até o ano de 476 EC — data em que o último imperador ocidental é deposto pelo chefe germânico Odoacro —, Roma teve cerca de 90 imperadores, segundo a lista feita pelo site do Museu Metropolitan.[42] Muitas guerras aconteceram, transformações religiosas — muitos territórios foram conquistados, e o império atingiu sua maior extensão no governo de Trajano, por volta do ano de 117 EC.[43]

Após o ano de 476 EC, a Itália volta propriamente para o sistema monárquico de governo. Odoacro se torna um rei italiano. E, ao longo do tempo, reinos locais foram se formando pelo resto da Europa, outrora dominada pelo Império Romano. Com isso, dá-se início ao período conhecido como Idade Média. O Império Romano do Oriente continua (também conhecido como Império Bizantino) por quase dois mil anos, só vindo a ruir com a queda de Constantinopla em 1443. Contudo, Roma nunca morreu, o latim foi adotado como língua oficial da Igreja Católica, muitos textos da Antiguidade foram copiados pelos monges na Idade Média, muitas descobertas arqueológicas foram feitas durante a Renascença, e até hoje o interesse permanece, pois, afinal, estamos falando de Roma neste livro em pleno século XXI. E nós desejamos que os mitos e heróis que você conhecerá agora o inspirem a cada vez mais saber sobre a Antiguidade Clássica.

BOA LEITURA!

---

[40]   BEARD, M. *op. cit.* p. 207.
[41]   Ibid. *loc. cit.*
[42]   THE MET. *List of Rulers of the Roman Empire*. Disponível em: < https://www.metmuseum.org/toah/hd/roru/hd_roru.htm>. Acesso em: 20 jan. 2023.
[43]   TAAGEPERA, R. Size and Duration of Empires: Growth-Decline Curves, 600 B.C. to 600 A.D *Social Science History*, vol. 3, no. 3/4, 1979, pp. 115–38.

UMA OUTRA GÊNESE

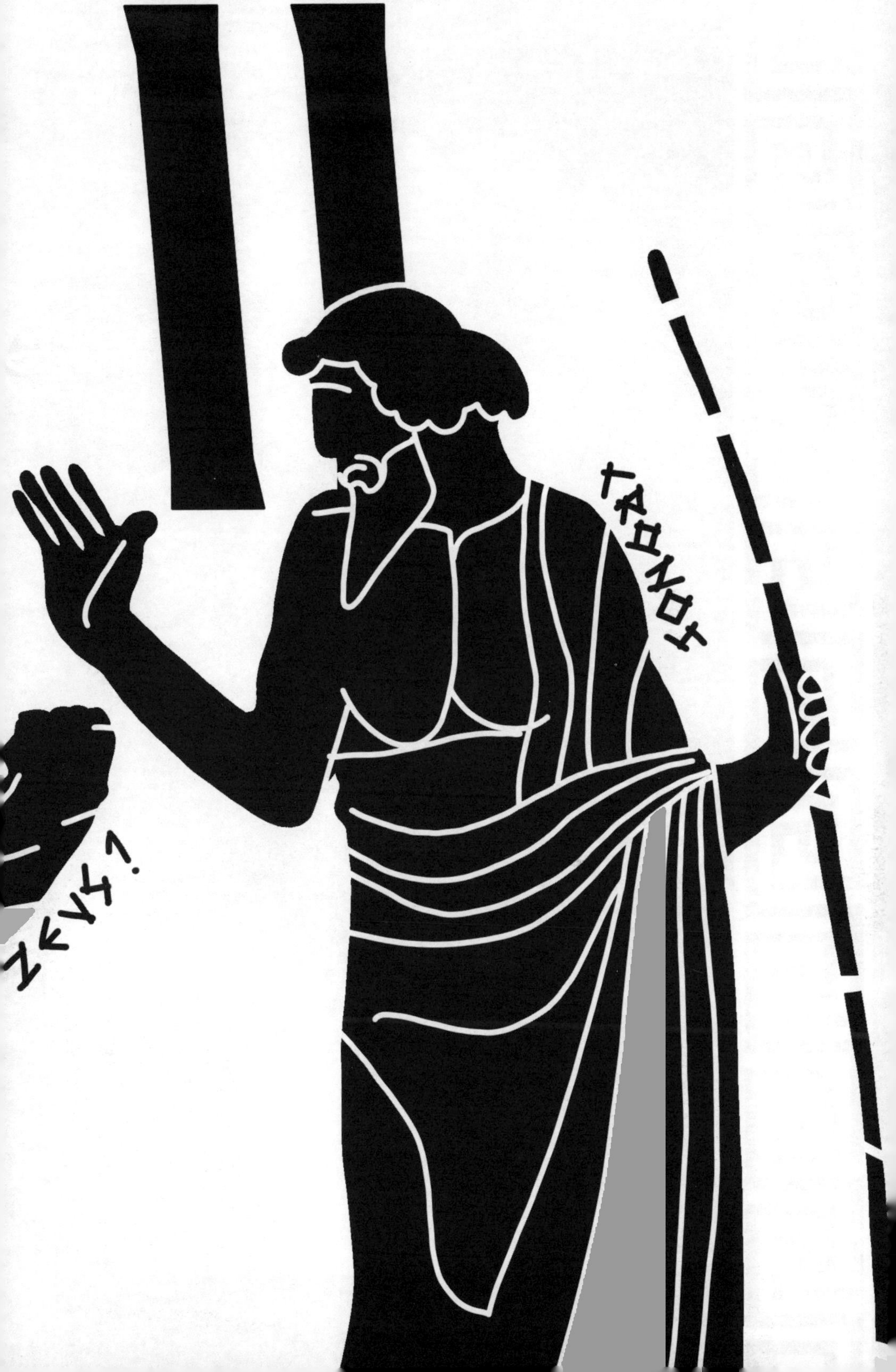
ΚΡΟΝΟΣ
ΖΕΥΣ?

Busto de Zeus, sec. IV.
Vaticano, Museu Pio-Clementino.

PROMETEU E EPIMETEU

No princípio, antes da criação da humanidade, havia apenas os deuses e os titãs. Na busca pelo poder sobre o cosmos, Zeus declarou uma guerra contra os titãs e conseguiu vencê-los, aprisionando muitos deles no Tártaro. Contudo, Epimeteu e Prometeu, dois filhos do titã Jápeto, muitas vezes considerados titãs eles mesmos (titãs da segunda geração), lutaram ao lado de Zeus e dos outros deuses. Prometeu, cujo nome significa "aquele que vê antes, aquele que premedita", já sabia do desfecho dessa batalha e de quais deuses sairiam vitoriosos, e, por isso, convenceu o seu irmão a lutar com ele contra os titãs. Como forma de reconhecimento pelo serviço prestado aos deuses, Zeus incumbiu os irmãos de criarem todas as criaturas vivas do planeta.

Epimeteu ficou encarregado de criar os animais e de dar a eles todos os presentes divinos, como a habilidade de voar ou de viver embaixo d'água, de modo a equilibrá-los com a natureza. As criaturas também receberam penas, pelos, chifres, garras etc.: tudo o que precisavam para sobreviver diante das condições naturais, como as estações do ano, e de seus predadores. Prometeu, por outro lado, foi o responsável por criar o primeiro homem (ser humano), a partir do barro, à semelhança dos deuses.

Zeus fez com que essa nova raça fosse dependente dos deuses para obterem proteção, pois eram muito vulneráveis até mesmo às condições naturais, como ao frio e à chuva. Prometeu observava o que o grandioso filho de Cronos fazia com os homens e ficava insatisfeito; ele desejava que sua criação tivesse propósitos maiores, munida de melhores condições para que pudesse evoluir. Assim, na primeira oportunidade que teve, o filho de Jápeto criou um plano que beneficiaria os homens.

Isso aconteceu quando Zeus encarregou o titã de dividir um touro que havia sido morto em um sacrifício. Prometeu deveria dividir as carnes do animal entre os deuses e os homens. Assim, ao dividir as partes, ele escondeu a carne suculenta sob as vísceras do animal e os ossos sob uma grossa camada de gordura. Entregou, então, as duas partes a Zeus para que ele escolhesse primeiro, e o deus escolheu aquela que lhe parecia melhor, ou seja, a que estava envolta em gordura. Quando percebeu o que Prometeu tinha feito, Zeus ficou irado e, como punição, proibiu o uso do fogo pelos mortais. Diante disso, Prometeu desafiou Zeus uma segunda vez, quando subiu ao monte Olimpo para roubar o fogo da oficina de Hefesto e de Atena, a fim de devolvê-lo aos mortais. Ele escondeu a chama em um talo de funcho[44] e trouxe-a em segurança de volta à terra.

Entretanto, os homens também aprenderam a usar o fogo para dominar a ordem natural, pois, além de empregarem o elemento na preparação de alimentos e na sua própria proteção, passaram a forjar armas e a iniciar guerras. Isso fez com que a Humanidade progredisse rapidamente. Quando Zeus percebeu que sua autoridade tinha sido desafiada pelo titã outra vez, castigou-o da maneira mais terrível.

Prometeu, por toda a eternidade, deveria ficar amarrado no topo de um penhasco e, todos os dias, um abutre apareceria para devorar o seu fígado, que se regeneraria todas as noites, pronto para começar o suplício novamente no dia seguinte. Apesar disso, ele nunca demonstrou arrependimento pelos seus atos contra a opressão de Zeus. Depois de algum tempo, Héracles matou a ave que condenava Prometeu e libertou-o de seu castigo, mas — é claro — não sem o consentimento do poderoso filho de Cronos.

Diz-se, ainda, que Epimeteu teria esgotado todas as dádivas enviadas pelos deuses na criação dos seres vivos em seus animais, fazendo com que a raça engendrada por Prometeu padecesse, pois nada havia sobrado para ela. Por exemplo, os homens não tinham pelos o suficiente para se protegerem do frio ou garras para se defenderem, e, por muito tempo, ficaram completamente indefesos. Por causa disso, Prometeu arriscou-se a roubar o fogo para os homens, assim eles poderiam ter uma chance de prosperar no mundo. Prometeu também teria ensinado aos homens diversas artes como astronomia, matemática, arquitetura, navegação, metalurgia e pecuária, conhecimentos que teria aprendido com a deusa Atena.

---

[44]   Funcho é uma espécie de erva aromática à qual pertence a erva-doce.

Prometeu, Mercúrio e Pandora. Joseph Abel, 1814.
Nessa ilustração, Prometeu tenta separar Pandora,
enviada por Zeus através de Mercúrio, de sua criação.

No entanto, Prometeu não foi o único a ser punido pelo roubo do fogo. Zeus também lançou um castigo aos homens, e esse era Pandora.

PANDORA: A PRIMEIRA MULHER

Antes de punir Prometeu, Zeus elaborou a criação da primeira mulher. O poderoso líder do Olimpo chamou Hefesto e orientou-o a criar uma figura feminina a partir do barro. Hefesto deveria dar a ela voz humana, força e a bela aparência de uma jovem, assemelhando-a a uma deusa imortal; Atena deveria ensiná-la muitas tarefas e tramas artificiosas; Afrodite deveria despejar graça em torno de sua cabeça, além das aflições que devoram aqueles que são tomados pelo desejo; Hermes, por sua vez, deveria conferir-lhe um espírito canino. Assim que foi forjada, as Graças vieram e colocaram colares sobre a moça, e as Horas (as Estações) coroaram-na. Chamaram-na de Pandora, pois recebera todos os dons dos deuses.[45]

Zeus, a seguir, enviou-a aos irmãos titãs através de Hermes, para que ela se casasse com Epimeteu. Prometeu, entretanto, tinha advertido o irmão a não aceitar nada que Zeus enviasse para eles, pois poderia ser alguma armadilha, mas ao ver Pandora, perfeita, Epimeteu esqueceu o conselho do irmão e aceitou a noiva. Pandora carregava consigo um jarro — apesar de ter sido popularizado como uma "caixa", nas versões mais antigas do mito, o recipiente narrado, na verdade, seria um jarro —, que havia sido dado por Zeus como presente de casamento. Porém, ela não sabia que, ao abri-lo, liberaria sobre a humanidade todos os males que a assolam: doenças, trabalhos, dificuldades, angústias e tantos outros. Antes de Pandora, os homens mortais viviam uma vida tranquila, sem quaisquer preocupações ou labutas. Dentro do jarro, permaneceu uma única coisa antes de Pandora fechá-lo novamente: a esperança.[46]

---

[45] O nome de Pandora também pode significar "aquela que *dá* todos os dons".

[46] A esperança (*elpís*) pode ser interpretada como um mal, pois ela impediria que as pessoas se concentrassem no presente, uma vez que ficariam esperando resoluções futuras. Por outro lado, é possível dizer que a esperança é, na verdade, um bem aos homens, pois os faz acreditar que algo bom sempre pode acontecer.

Pandora. Walter Crane, 1885.

AS CINCO IDADES DO HOMEM

🏛🏛🏛🏛🏛🏛🏛🏛🏛🏛🏛🏛🏛

Há também um outro mito que nos conta sobre a origem do homem, muito após o estabelecimento dos deuses no cosmos, que vai na contramão do mito de Prometeu. Nessa versão, haveria cinco idades para a raça humana, ou seja, cinco tipos diferentes de gerações.

A primeira, chamada Idade do Ouro, foi a idade de homens feitos pelos deuses quando Cronos ainda estava no auge de seu poderio. Como os deuses, esses homens viviam sem aflições, sem doenças e não precisavam trabalhar. Desfrutavam de tudo o que a terra provia, entre grãos e rebanhos, e não passavam por qualquer dificuldade em sua existência. Para eles também não havia velhice; sendo mortais, uma hora haveriam de perecer, mas quando esse momento chegava, apenas fechavam os olhos, como se tomados por um sono profundo.

Depois que a terra os encobriu, já na época do domínio de Zeus, nasceu uma nova geração, denominada Idade de Prata. Essa era, porém, pior que a primeira e em nada a ela semelhante. Esses homens alimentavam-se do pão e eram submetidos à autoridade materna. Viviam durante cem anos como crianças, mas logo que alcançavam a juventude, pereciam pela sua própria imprudência, pois eram violentos, belicosos — embora não guerreassem entre si — e não honravam os deuses. Por isso, Zeus destruiu-os.

Em seguida, instaurou-se a Idade do Bronze, também criada por Zeus. Esses homens não eram como os anteriores. Eram mais violentos, impiedosos e tinham muito prazer na guerra, destruindo-se uns aos outros. Suas casas e armas eram de bronze, pois o ferro ainda não existia. Eles foram extinguidos por uma terrível peste.

A quarta linhagem, também de bronze, era um pouco mais nobre e mais generosa se comparada à anterior. Esses homens foram gerados por deuses que se deitaram com mulheres mortais: ou seja, eram semideuses. Foram os heróis que lutaram em Tebas, na expedição dos Argonautas e em Troia. Após perecerem, passaram a habitar os Campos Elísios.

A última das idades, a Idade do Ferro, é a idade dos homens como nós mesmos conhecemos. Seres atormentados por trabalhos extenuantes, angústias, preocupações, doenças e pela velhice. A eles os deuses dão duros tormentos, mas também algumas benesses. São homens vis, traiçoeiros, que desonram seus pais e quebram os princípios que ordenam a vida em sociedade. Guerreiam entre si, tomando as cidades de seus adversários, são invejosos e prejudicam seus semelhantes. Zeus também um dia haveria de destruir essa raça, embora ela fosse temente aos deuses.

DE TROIA A ROMA

AQVILES

III

AJAX

Busto de Odisseu, aprox. séc. I. d.C. Roma, Coliseu.

A FUNDAÇÃO DE TROIA

Acredita-se que o primeiro fundador mítico de Troia tenha sido um homem chamado Dardano. Ele era filho de Zeus e de Electra, uma das Plêiades (filha de Atlas e Pleione) e ninfa das estrelas do Monte Saos, na região da Samotrácia. Dardano teria começado uma pequena cidade nas encostas do Monte Ida (hoje, próximo às ruínas de Troia, na Turquia) e nomeou-a Dardânia. Ele teve um filho, Erictônio, e um neto, Tros, que foram também reis de Dardânia. Tros, que deu origem ao nome da cidade de Troia, por sua vez, teve três filhos: Ilos, Assácaros e Ganímedes.

Ganímedes era um jovem extremamente belo e virtuoso; por causa de suas qualidades, ele despertou o interesse do poderoso Zeus, que se transformou em uma águia para raptar o belo Ganímedes enquanto ele estava pelos campos do Monte Ida. No Olimpo, Ganímedes se tornou o amante de Zeus e o copeiro dos outros deuses, servindo-os néctar divino. Com a partida repentina de Ganímedes, seu pai, Tros, muito sofreu; para apaziguá-lo, Zeus enviou, através de Hermes, cavalos esplêndidos, que eram capazes de galopar com tamanha delicadeza que nem sequer marcavam o solo por onde passavam.

Enquanto isso, Ilos foi à Frígia participar de jogos patrocinados por um rei (o nome desse rei, infelizmente, foi perdido). Após vencer as competições, o rei deu-lhe cinquenta rapazes, cinquenta moças e uma vaca. Ele também orientou Ilos, de modo oracular, a seguir com os jovens e a fundar uma cidade onde quer que a vaca se deitasse. A vaca também escolheu um ponto no Monte Ida, próximo à Dardânia, e ali Ilos estabeleceu a cidade de Ílion (esse é um outro nome para Troia e do qual se origina o título do poema atribuído a Homero, a *Ilíada*). Conta-se que, depois de ter estabelecido a cidade, Ilos teria pedido um sinal de Zeus para confirmar que havia feito o certo. Então, uma estátua de madeira caiu do céu e Ilos colocou-a no templo de Atena, que estava sendo construído. Ele acreditava que enquanto a estátua estivesse lá, o povo de Ílion estaria seguro e protegido pelos deuses.

Mais tarde, Ilos teve um filho, Laomedonte, que teria herdado os cavalos enviados por Zeus como reparação pelo rapto de Ganímedes. Contudo, ele não era um homem honesto, pois não cumpria com seus combinados. Houve uma vez em que Apolo e Poseidon receberam como punição trabalhar como os mortais, devido a uma última revolta que os deuses promoveram para tentar impedir que Zeus tivesse o poder absoluto sobre o Olimpo. Então Apolo e Poseidon desceram à terra, disfarçados, e começaram a trabalhar em Ílion: Poseidon estava encarregado de construir as muralhas da cidade, e Apolo de cuidar dos rebanhos. Ambos fizeram seus trabalhos com a excelência que se esperaria de um deus e, portanto, foram exigir que Laomedonte reconhecesse seus esforços através de alguma forma de pagamento. Porém, não foi o que aconteceu; não só Laomedonte não lhes pagou, mas ainda ameaçou vendê-los como escravos! Ultrajados, os deuses partiram, mas não sem castigar a cidade. Poseidon enviou uma onda gigantesca — que acabou detida pelas muralhas que ele mesmo havia construído — e um monstro marinho; Apolo, por sua vez, enviou uma praga que assolou o povo.

Encurralado, Laomedonte buscou os conselhos do oráculo, na esperança de conseguir fugir da cidade ileso. A previsão que obteve sugeria que o monstro só sairia dos muros da cidade se sua filha, a princesa Hesíone, fosse entregue à fera. Assim, o rei de Ílion acatou as instruções do oráculo e, quando a princesa estava para ser sacrificada, eis que Héracles (Hércules) apareceu, passando em frente às muralhas da cidade, onde o sacrifício deveria acontecer. Ao ver o tumulto, o herói ofereceu dar cabo do monstro em troca de um pagamento: aqueles mesmos cavalos que foram dados ao pai de Ganímedes. Como estava desesperado, Laomedonte concordou com o pedido do herói e permitiu que ele tentasse derrotar a fera. Dizem que Héracles foi engolido pelo monstro e que ficou em sua barriga por três dias e três noites, golpeando as vísceras da criatura até que ela morresse. Quando o semideus foi cobrar seu pagamento, é claro que Laomedonte se recusou a cumprir sua parte do trato. Héracles foi embora bastante furioso, prometendo voltar um dia para se vingar.

Anos mais tarde, Héracles voltou a Ílion com seis navios e um exército que destruiu a cidade. Ele matou Laomedonte e seus filhos, com exceção da princesa Hesíone, que foi dada em casamento ao herói Télamon, e de Príamo, que foi poupado por ter tentado intervir a favor de Héracles na época em que o herói ajudou a salvar a cidade do monstro marinho. Como reconhecimento, o herói deixou o jovem príncipe viver. Príamo cresceu e se tornou o rei de Ílion, mas em nada se assemelhava ao pai, pois era um homem honrado e justo.

Príamo se casou duas vezes: de sua primeira esposa, Arisbe, que logo faleceu, nasceu Ésaco; de Hécabe (ou Hécuba, seu nome latino), nasceram primeiro Heitor e depois Páris. No entanto, quando Hécabe estava perto do momento do parto, ela sonhou que estava dando à luz um tição, cujo fogo propagou-se por toda a cidade de Troia e a destruiu. Ao saber do sonho da esposa, Príamo mandou chamar seu filho com Arisbe, Ésaco, que tinha o dom de interpretar sonhos. Ésaco disse que o bebê traria consigo a ruína da cidade e que, portanto, deveria ser morto. Assim, quando o bebê nasceu, Príamo o entregou ao seu servo, Agelau, para que cumprisse a tarefa de se livrar do recém-nascido. Como não tinha coragem de matá-lo, Agelau o levou até o Monte Ida e abandonou-o. Por cinco dias o bebê foi amamentado por uma ursa, e quando Agelau retornou ao local para ver o que tinha sido da criança, surpreendeu-se ao ver que ela ainda estava viva. Sendo assim, o homem resgatou o bebê e levou-o consigo para casa, a fim de criá-lo como seu próprio filho; Agelau nomeou-o Páris. O menino se destacava por sua beleza, sua inteligência e força fora do comum. Por exemplo, ainda quando garoto, ele deteve uma quadrilha de ladrões de gado e recuperou as vacas que haviam sido roubadas. Por essa razão, passou a ter o apelido de Alexandre, que significa "o protetor de homens". Mesmo assim, o menino cresceu com o pai adotivo e tornou-se pastor de rebanhos.

Muitos anos depois, Príamo mandou buscar um touro do rebanho de Agelau para que o animal fosse sacrificado nos jogos fúnebres em honra a seu filho Páris, quem o rei tinha como morto. Quando os homens de Príamo chegaram aos campos de Agelau e levaram consigo um dos animais, Páris ficou tentado a participar dos jogos também. Agelau tentou impedi-lo, mas o jovem rapaz não lhe deu ouvidos.

Nos jogos, Páris participou do pugilato e da corrida a pé e foi vencedor em ambas as provas. As vitórias enfureceram os outros filhos de Príamo, Heitor e Deífobo, e eles resolveram assassinar o irmão. Então, mandaram os guardas cercar todas as portas do palácio enquanto eles mesmos atacariam Páris em uma luta corpo a corpo. No entanto, Páris conseguiu passar por seus inimigos e se refugiar no templo de Zeus. No meio da confusão, para salvar o filho adotivo, Agelau revelou a verdadeira identidade do rapaz. Atordoado, Príamo mandou chamar Hécabe, e ela reconheceu o filho por causa de um chocalho encontrado nas mãos do rapaz. Assim, o jovem príncipe foi levado novamente ao palácio, onde celebraram seu retorno com um banquete e oferendas aos deuses. Logo que souberam da novidade, os sacerdotes de Apolo correram para alertar os reis, pois eles sabiam de uma profecia que apontava Páris como o responsável pela ruína de Troia. Príamo estava demasiado contente com o retorno do filho e, por isso, ignorou todos os avisos e determinou que o príncipe viveria.

Páris tinha uma irmã tão ilustre quanto ele: a profetiza Cassandra. Conta-se que, um dia, a jovem adormeceu no templo de Apolo e ele ofereceu presenteá-la com o dom da profecia se ela se deitasse com ele. A princípio, ela aceitou a proposta e, então, se tornou clarividente. Contudo, depois, ela se recusou a ir para o leito do deus e, como castigo, Apolo fez com que ninguém acreditasse em suas profecias. Para evitar constrangimentos relacionados ao dom da filha, Príamo trancou Cassandra em um edifício da cidade, incumbiu uma criada de cuidar dela e de relatar todas as visões que a moça recebia para ele.

Dizem que Cassandra já havia tido premonições sobre a destruição da cidade de Troia, mas ninguém lhe dera ouvidos. Alguns dizem que um primeiro motivo para a origem da guerra de Troia teria sido o rapto da irmã de Príamo, Hesíone, da seguinte maneira: depois de anos de um governo justo, Príamo convocou um Conselho para tentar resolver o caso de sua irmã, que fora levada à Grécia por Télamon. Então, Antenor e Anquises, parentes de Príamo, foram à Grécia, até a corte de Télamon, apresentar as exigências troianas para recuperar a princesa. Contudo, os troianos foram ignorados pelos gregos, e Hesíone não pôde voltar para Troia.[47]

---

[47] *Noites Gregas:* #45 - Troia. Locução de: Claudio Moreno e Filipe Speck. [S.l.]: agosto de 2022. Podcast. Disponível em: https://open.spotify.com/episode/2n5CFWmpE4zoSSfn5JGaEr?si=95300433b2714a84. Acesso em: dezembro de 2022.; GRAVES (2018, vol. 2, pp. 369-380).

O CASAMENTO DE TÉTIS E PELEU & O POMO DA DISCÓRDIA

Outros dizem que o estopim da guerra aconteceu durante as bodas de Peleu, herói que havia feito parte da expedição dos Argonautas e que tinha participado da caçada ao javali da Calidônia com Meleagro e Tétis, uma das ninfas marinhas e líder delas.

Conta-se que Tétis tinha sido criada por Hera até a sua adolescência, quando começou a despertar o interesse de Zeus e também de Poseidon. Ambos começaram a cortejá-la, mas, principalmente em respeito a Hera, a ninfa sempre recusou as investidas. Um dia, chegou ao conhecimento dos grandiosos deuses uma profecia que dizia que o filho de Tétis teria muito mais poder que o seu pai. Então, para preservar suas posições na hierarquia do cosmos, os deuses se afastaram de Tétis, mas antes decidiram que seria melhor casá-la a fim de que ela ficasse indisponível para outras relações. A escolha de um noivo mortal para a ninfa pode ter se dado por duas razões: teria sido um castigo ou uma forma de garantir que o filho da ninfa fosse também um mortal, ou seja, apesar de muito poderoso, um dia viria a perecer.

Peleu, no entanto, precisava antes conquistar Tétis. Seguindo a orientação de Proteu, o velho do mar, o herói encurralou a ninfa em um de seus lugares de repouso e abraçou-a muito forte, para impedir que ela se transformasse em qualquer animal ou criatura que facilitasse sua fuga. Depois de alguma resistência, Tétis deu-se como vencida e aceitou se casar com Peleu, mesmo sabendo do futuro que a aguardava quando ela fosse, finalmente, mãe de um mortal que teria seus dias contados. Esse mortal era Aquiles.

Chegado o dia do casamento, os grandes imortais também compareceram à festa, sendo a própria Tétis uma figura divina. Entre deuses e mortais, a única que não havia sido convidada era Éris, a deusa da discórdia, por um motivo óbvio. Sem poder participar da cerimônia, ela bolou um plano para se fazer presente do mesmo jeito: pegou uma maçã dourada — também conhecida como pomo de ouro — e dedicou-a para a mais bela das deusas presentes na festa.[48] Quando os convidados receberam o pomo e perceberam o que ele representava, deu-se início à disputa.

Por uma questão de hierarquia, as finalistas foram as deusas Atena, Afrodite e Hera, que solicitaram a ajuda de Zeus para estabelecer qual delas era, de fato, a mais bela. Incapaz de tomar essa decisão, pois estava diante de sua esposa e de suas filhas,[49] Zeus determinou que a melhor pessoa para fazer esse julgamento seria Páris, pois ele era conhecido como um homem justo e um juiz sensato.

Ele obteve essa fama da seguinte maneira: como era pastor dos rebanhos, colocava os touros de Agelau para lutarem entre si; aos vitoriosos ele dava flores, aos perdedores, dava palha. Quando um desses touros começou a ganhar várias vezes seguidas, Páris decidiu colocá-lo contra touros de rebanhos vizinhos, mas o seu animal ainda era o maior campeão entre todos. Desse modo, ele prometeu uma coroa de ouro nos chifres do touro que pudesse vencer o seu. Então Ares, o deus da guerra, transformou-se em um touro para testar a promessa de Páris e acabou vitorioso. Sem quebrar a promessa, o jovem pastor entregou a coroa para o outro animal, sem saber que esse era, na verdade, um deus. Essa atitude surpreendeu e agradou os imortais, que passaram a tê-lo em grande estima.

Zeus, então, pediu para que Hermes conduzisse as três deusas até Páris e que explicasse ao mortal o que ele deveria fazer. Ao se ver diante dessa tremenda responsabilidade, Páris ficou bastante inseguro, pois ele sabia que a escolha de uma deusa implicaria, diretamente, na fúria das demais. As deusas, porém, começaram a seduzi-lo com propostas e presentes para incentivá-lo em sua decisão: Atena prometeu-lhe vitória em todas as guerras das quais pudesse participar, beleza e sabedoria; Hera ofereceu-lhe o poder sobre o território da Ásia, onde ficava Troia, e uma vida de riquezas; e Afrodite fez-lhe a mais tentadora das propostas, oferecendo-lhe a mulher mais bela do mundo como esposa: que seria Helena.

---

[48] Há controvérsias se ela teria escrito a dedicatória no pomo ou se teria pedido para que alguém o levasse para os convidados.
[49] Na versão homérica da genealogia dos deuses, Afrodite era filha de Zeus com a mortal Dione e irmã dos Dióscuros — Cástor e Polideuces.

Páris concedeu a vitória a Afrodite e o seu prêmio viria a desencadear todos os eventos que culminariam nas antigas previsões sobre ele e a queda de sua cidade.[50]

O julgamento de Páris.
Adriaen van der Werff, 1716.

[50] *Noites Gregas*: #46 – Os pais de Aquiles. Locução de: Claudio Moreno e Filipe Speck. [S.l.]: agosto de 2022. Podcast. Disponível em: https://open.spotify.com/episode/06ptEBbAgNBDLG01H7oL95?si=77c-c35be451b406e. Acesso em: dezembro de 2022.; *Noites Gregas*: #47 – O pomo da discórdia. Locução de: Claudio Moreno e Filipe Speck. [S.l.]: agosto de 2022. Podcast. Disponível em: https://open.spotify.com/episode/23sFHH4xitFk98ZNV4Qkg3?si=5e58efd8b32c4388. Acesso em: dezembro de 2022.

O RAPTO DE HELENA

Helena era filha de Leda e de Tíndaro, rainha e rei de Esparta, embora ela tenha sido, na verdade, fruto da união de sua mãe com Zeus, que havia se transformado em cisne para seduzi-la. Como ela teria se deitado com Zeus na mesma noite em que se deitara com o marido, o mito diz que Leda botou dois ovos: de um, nasceram Helena e Polideuces, filhos de Zeus; do outro, Castor e Clitemnestra, filhos de Tíndaro.

Quando Helena atingiu a idade para se casar, todos os príncipes da Grécia se apresentaram no palácio de Tíndaro como pretendentes da princesa espartana, trazendo diversos presentes maravilhosos para oferecer à noiva. Porém, o rei não aceitou os presentes, pois tinha receio de que o gesto pudesse demonstrar sua preferência por algum pretendente e que os demais iniciassem uma briga por causa disso.

Odisseu — ou Ulisses, seu nome romano —, que estava entre os pretendentes, logo percebeu que a intenção de Tíndaro era conceder a mão de Helena a Menelau, filho de Atreu e irmão de Agamêmnon (rei de Micenas e marido de Clitemnestra). Para que ele também pudesse se beneficiar, apesar da presente derrota, Odisseu pediu a Tíndaro que o ajudasse a conseguir a mão de Penélope, filha de Icário, um outro espartano. Em troca, Odisseu prometeu ao rei uma estratégia para que os demais não se revoltassem contra ele quando o noivo fosse anunciado; então ele aconselhou Tíndaro a propor aos homens que jurassem defender o escolhido contra qualquer injúria de qualquer outro homem que ousasse prejudicar seu casamento com Helena. O rei concordou e, assim, os pretendentes juraram sua lealdade a Menelau. Quando Tíndaro morreu, Menelau se tornou o rei de Esparta. Entretanto, ninguém sabia que o casamento de Helena estava fadado ao fracasso. Acontece que, alguns anos antes, enquanto realizava sacrifícios aos deuses, Tíndaro se esqueceu de Afrodite. Como vingança, a deusa tornou suas filhas, Clitemnestra e Helena, adúlteras.

Ilustração do séc. XIX para o rapto de Helena.
Revista espanhola *La Ilustración Artística* (1882).

    Passado algum tempo do retorno de Páris ao palácio de seu pai, o jovem príncipe começou a ser aconselhado pelos irmãos a se casar. Páris, no entanto, ainda contava com a promessa de Afrodite e honrava a deusa todos os dias. Em seu íntimo, Páris já planejava navegar para Esparta e trazer

Helena consigo para Troia, mas a oportunidade veio mesmo quando Menelau chegou a Troia sem aviso. O rei de Esparta estava em busca das tumbas dos heróis Lico e Quimereu, pois o Oráculo de Delfos havia previsto que, para acabar com uma peste que arrasava Esparta, o rei deveria oferecer sacrifícios a eles. Então Páris hospedou Menelau, mas pediu que quando ele regressasse a Esparta, levasse-o (Páris) consigo. Conta-se que Páris havia matado o filho caçula de Antenor, Anteu, acidentalmente, por isso, ele desejava ser purificado em solo espartano. Menelau concordou em voltar com Páris para Esparta e eles partiram, cada um em suas naus. Afrodite enviou bons ventos para a viagem de seu protegido e, ao chegar ao reino de Menelau, Páris ficou hospedado lá por nove dias. Durante esse período, ele cortejava Helena sem que Menelau percebesse, e, na verdade, ela temia exatamente que o marido pudesse notar essas intenções do hóspede.

Quando o avô de Menelau, Catreu, faleceu, ele viajou para Creta para participar dos ritos fúnebres e deixou Helena tomando conta do palácio. Foi nessa ocasião que Páris convenceu Helena a fugir com ele para Troia, e ela acabou se entregando a ele. Na fuga, Helena deixou sua filha, Hermíone, que tinha nove anos, e levou boa parte dos tesouros do palácio consigo. Durante a viagem, Hera enviou uma terrível tempestade para impedi-los, fazendo com que eles atracassem em Chipre para se protegerem. Páris também teve medo de que Menelau o seguisse, então passou vários meses na Fenícia, em Chipre e no Egito. Foi só depois de muito tempo que chegou a Troia e, finalmente, celebrou suas bodas com Helena. Lá, ela foi bem recebida por todos os troianos, que se encantaram com a sua beleza.

Outras versões contam que, para proteger Helena, Zeus mandou Hermes levá-la até o Egito para ficar sob a proteção do rei Proteu, e que então Páris teria ido para Troia com uma espécie de espectro de Helena, feito de nuvens. De todo modo, a presença de Helena em Troia estava fadada a acontecer para que o conflito se iniciasse. Uns dizem que Zeus havia planejado o embate entre gregos e troianos pela fama de ter uma filha que tivesse posto dois continentes, Europa e Ásia, em guerra; outros dizem que ele assim o fez para que a raça dos semideuses alcançasse eterna glória, e há versões que apontam que Zeus, na verdade, desejava diminuir o peso que os mortais faziam sobre a Terra (Gaia).[51]

---

[51] *Biblioteca* [*The Library of Greek Mythology*] (Epit. 3, 3.1-5); GRAVES (2018, vol. 2, pp. 382-393).

A EXPEDIÇÃO PARA TROIA

Páris não imaginava que teria de pagar pela abdução de Helena e pela quebra dos acordos de hospitalidade enquanto estava no palácio de Menelau, pois, afinal, outras mulheres foram tomadas de suas terras pátrias sem qualquer consequência: Europa fora roubada dos Fenícios a mando de Zeus, Medeia fora tirada da Cólquida e até mesmo a irmã de seu pai, Hesíone, nunca havia sido devolvida a Troia.

Entretanto, ao saber do ocorrido através de Íris, a mensageira dos deuses, Menelau logo retornou a Micenas e pediu a seu irmão, Agamêmnon, que recrutasse um exército para avançar em direção a Troia. Primeiro, Agamêmnon disse que só investiria em um confronto bélico caso os mensageiros enviados para recuperar Helena voltassem sem ela. Quando os mensageiros chegaram ao palácio de Príamo, ele disse que de nada sabia, pois, de fato, Páris ainda não tinha retornado com Helena. Assim, Menelau enviou arautos a todos os primeiros pretendentes de Helena, aqueles que haviam jurado proteger e honrar a união deles, para comunicá-los do ocorrido e lembrá-los da promessa feita. Era um assunto de interesse comum, uma vez que outras esposas corriam o mesmo risco, portanto, a punição aplicada a Páris deveria servir como exemplo.

Assim, os emissários dos Atridas[52] percorreram a Grécia reunindo um exército. O primeiro a ser convocado foi Odisseu, que tentou se livrar do convite fingindo estar louco, pois havia recebido um oráculo que previra que, caso lutasse em Troia, ele só voltaria para casa depois de vinte anos, sozinho e indigente. O plano de Odisseu não deu certo, ele foi desmascarado e teve que acompanhar as tropas de Menelau. Outros que compuseram o exército dos gregos foram: dez líderes da Beócia, que se juntaram à expedição com quarenta naus; quatro líderes de Orcômeno, com trinta naus; quatro líderes da Fócia, com quarenta naus; Ájax, excelente no manejo da lança, filho de Ileu, da Lócrida, com quarenta naus; um líder da Eubeia, com quarenta naus; Menesteu, de Atenas, que contribuiu com cinquenta naus; Ájax, herói

---

[52] Agamêmnon e Menelau, filhos de Atreu.

forte, corajoso e belo, filho de Télamon, de Salamina, com doze naus; entre os argivos, Diomedes e seus companheiros, Estênelo e Euríalo, com oitenta naus; Agamêmnon, de Micenas, com cem naus; dos lacedemônios, Menelau, com sessenta naus; Agapenor, da Arcádia, com sete naus; Thoas, da Etólia, com quarenta naus; Idomeneu, de Creta, com quarenta naus; Tlepólemo, o filho de Héracles, rei de Rodes, com nove naus; Aquiles e os mirmidões, povo da Tessália, com cinquenta naus; Eumelo, filho de Admeto, da cidade de Feras, com onze naus; Filoctetes, também da região da Tessália, com sete naus; Nestor, rei de Pilos, homem sábio e exímio orador, que gozava da inteira confiança de Agamêmnon, com quarenta naus, e muitos, muitos outros. No total, eram mil e treze naus, quarenta e três líderes e trinta contingentes.

Frota dos gregos chegando a Troia.

Todo o exército se reuniu em Áulis, uma praia no estreito da Eubeia, onde foi feito um sacrifício ao deus Apolo. Nessa ocasião, Calcas, o adivinho que os acompanhava, revelou que Troia estava destinada a cair após dez anos de guerra. Essa informação, no entanto, não desanimou os homens, que logo partiram com Agamêmnon e Aquiles como seus líderes.

Contudo, como a frota dos gregos não sabia exatamente qual era a rota para Troia, eles acabaram atracando na Mísia (território da antiga Ásia Menor, hoje Turquia) e deram início ao saque da cidade, pensando que estavam em solo troiano. O rei dos mísios, Télefo, revidou o ataque e matou muitos soldados gregos. Quando Aquiles entrou no combate, Télefo recuou e, durante a sua fuga, enroscou-se em uma videira (castigo por ter se esquecido de fazer sacrifícios a Dioniso), e Aquiles feriu-o na perna com uma lança. Depois disso, os gregos deixaram a Mísia. Durante a viagem de volta, uma grande tempestade enviada por Hera acabou separando as naus da frota, fato que levou cada um dos comandantes a retornar às suas terras pátrias. Por causa dessa ocasião, dizem que a guerra de Troia durou vinte anos, pois foi apenas no segundo ano após o rapto de Helena que os gregos começaram a expedição e, depois que deixaram a Mísia, levaram oito anos para retornar a Argos e depois a Áulis, de onde partiram.

Depois desses oito anos, quando os homens se reuniram novamente em Argos, eles estavam sem saber como prosseguir, pois não sabiam qual rota tomar para Troia e temiam começar a viagem sem um guia. Então calhou que Télefo, o rei da Mísia, chegou a Argos; sua ferida de guerra ainda não tinha cicatrizado, e Apolo lhe dissera que ele só seria curado pelo mesmo homem que o havia ferido. Assim, Télefo chegou como suplicante até Agamêmnon primeiro, que, por causa de um oráculo, sabia que todos os gregos dependiam de Télefo para chegar a Troia, e, por isso, convenceu Aquiles a curar a ferida que ele tinha feito na perna do rei mísio.

A rota que Télefo passou para os gregos foi confirmada pelo adivinho Calcas e, portanto, deu-se início à expedição mais uma vez, e as tropas se reuniram em Áulis. Lá, eles se depararam com condições adversas e não puderam partir de imediato. Então, Calcas explicou que eles só conseguiriam navegar se a filha mais bela de Agamêmnon, Ifigênia, fosse sacrificada a Ártemis. Aparentemente, a deusa estava furiosa com o rei de Micenas por ele ter se gabado durante uma caçada, quando abateu um cervo, dizendo que era melhor caçador do que ela. Ao ouvir as palavras do oráculo, Agamêmnon mandou Odisseu até o palácio para buscar a filha, e, para evitar que Clitemnestra recusasse enviar a moça, Odisseu deveria dizer que Ifigênia seria dada em casamento a Aquiles. Ifigênia chegou a Áulis e deparou-se com o sacrifício já preparado. Porém, quando ela estava prestes a ser morta, Ártemis veio em seu auxílio. A deusa resgatou a jovem donzela, deixando uma corsa — ou uma ursa — em seu lugar no altar, e levou-a para Táuris, onde fez dela sua sacerdotisa.

Apesar de o sacrifício não ter sido, de fato, concluído, os ventos se apaziguaram e se tornaram propícios para a viagem. Assim, os gregos partiram.

Primeiramente, eles fizeram uma escala em Lesbos. Depois disso, foram até Tênedos, onde o rei Tenes foi morto por Aquiles, depois que o herói viu-o jogar uma grande pedra penhasco abaixo contra os navios gregos. Esse ato de Aquiles, porém, selou seu próprio destino; Tétis já havia prenunciado que, se Aquiles assassinasse qualquer um dos filhos de Apolo, ele mesmo morreria pelas mãos do deus. Ocorre que algumas versões apontam Tenes como filho de Apolo e Procleia, filha de Laomedonte; outras sugerem que ele era filho de Cicno, cujo pai era Poseidon.

Os gregos, então, saquearam a cidade de Tênedo, e, para agradecer a vitória, Palamedes ofereceu sacrifícios a Apolo. Enquanto ele estava no altar do templo fazendo os sacrifícios, uma cobra veio e picou o pé do arqueiro Filoctetes, que o acompanhava. Nenhum unguento parecia apaziguar a dor e a gravidade da ferida, então, foi decidido que Filoctetes se retirasse das tropas, e Agamêmnon mandou Odisseu deixar o arqueiro em Lemnos. Lá, ele sobreviveu caçando pássaros, pois tinha consigo o arco que pertencera a Héracles. Depois de um tempo, Odisseu voltou a Lemnos para procurar Filoctetes, pois os gregos ficaram sabendo que o saque de Troia só seria possível se o exército usasse o arco e as flechas de Héracles.[53]

OS PRIMEIROS NOVE ANOS DE GUERRA

Depois que saíram de Tênedos, os gregos finalmente navegaram para Troia. Odisseu e Menelau foram na frente, com o objetivo de resgatar Helena sem que fosse necessário entrar em uma guerra com os troianos. No entanto, os troianos se recusaram a devolver Helena e ainda tentaram matar os dois mensageiros.

---

[53] *Biblioteca* (Epit. 3, 3.6-27). GRAVES (2018, vol. 2, pp. 396-416).

Antenor, apesar de ser aliado de Príamo, salvou Odisseu e Menelau, mas, diante da afronta, os gregos ficaram extremamente furiosos. Por isso, eles deram a ordem para o exército avançar contra os troianos, que logo se apressaram a barrar os inimigos com pedras quando eles chegaram às praias de Troia.

Assim que os gregos desembarcaram em Troia, avançaram depressa contra os inimigos, causando muitas mortes. Isso fez com que os troianos se retirassem para dentro das muralhas e que ficassem cercados pelos gregos. O combate se estendeu por nove anos assim, até que os aliados dos troianos chegaram. Eram eles, principalmente, Eneias, filho de Afrodite com o mortal Anquises, e Agenor e Acamante, filhos de Antenor, liderando os dardânios. Outros aliados vieram da Trácia, da Ciconia, da Peônia, de Adrasteia, de Arisbe, de Larissa, da Mísia, da Frígia, da Lídia, da Cária e da Lícia (desta última, destacam-se Sarpédon, filho de Zeus, e Glauco, filho de Hipóloco).

Aquiles conquistou várias cidades aliadas de Troia durante esses nove anos de guerra: Lesbos, Foceia, Cólofon, Esmirna, Clazomene, Cima, Egialo, Tenos, Adramítio, Dide, Êndio, Lineu, Lirnesso, Tebas Hiplopaciana e outras mais. Nessa Tebas, Aquiles matou Eecião, pai de Andrômaca, que era esposa de Heitor. Entre as prisioneiras desse saque estavam Criseida, filha de Crises, sacerdote de Apolo, que foi dada a Agamêmnon como espólio, e Briseida, que foi dada a Aquiles.

A IRA DE AQUILES

Crises foi até Agamêmnon tentar reaver a filha com presentes e riquezas para oferecer ao Atrida como resgate pela moça, mas foi gravemente insultado e posto para fora do acampamento pelo rei.[54] Tal comportamento enfureceu Apolo, já que Crises era seu sacerdote, e o deus, atendendo às preces do ancião, iniciou sua vingança contra os gregos: enviou uma terrível peste e durante nove dias disparou suas flechas contra o exército dos aqueus.[55] Ao décimo dia, Aquiles convocou uma assembleia, em que Calcas revelou o motivo da

---

[54] Dizem que essa atitude de Agamêmnon se deu por causa de Zeus, que instaurou tais ofensas no pensamento do homem, com o intuito de causar uma trégua na guerra e aliviar um pouco os troianos.

[55] Aqueus: nome usado na *Ilíada* para se referir aos gregos.

ira do divino filho de Leto e alertou os gregos de que o deus só seria apaziguado se a donzela fosse restituída ao pai, sem qualquer resgate, e se Crises recebesse uma sagrada hecatombe.[56]

A fúria de Aquiles.
Afresco de Giovanni Battista Tiepolo, 1757.

Agamêmnon, que estava presente na assembleia, levantou-se furioso, e exigiu que ele recebesse um outro espólio ao devolver Criseida, de modo que ele não tivesse qualquer prejuízo. Aquiles respondeu ao rei que não seria justo tirar os espólios que os outros homens já haviam recebido, pois foi mesmo o Atrida que cometera a ofensa contra Crises e contra Apolo, e todos os homens haviam lutado com excelência e mereciam seus prêmios. Não obstante, Aquiles prometeu dar ao chefe dos aqueus três ou até quatro vezes mais recompensas assim que saqueassem Troia. Ainda insatisfeito, Agamêmnon determinou que se ninguém lhe desse outro espólio de boa vontade, ele tomaria sua parte à força. Aquiles revidou, na tentativa de defender a si mesmo e aos seus companheiros, mas o Atrida se irritou ainda mais. Foi então que Agamêmnon decidiu tomar Briseida, o espólio de Aquiles, fazendo com que o

---

[56] Hecatombe: sacrifício de cem bois.

herói, ultrajado após tantos esforços para defender os Atridas em um conflito que em nada o beneficiava, se retirasse da batalha, não sem antes quase matar Agamêmnon, o que só foi impedido por uma manifestação divina de Atena — epifania — que puxou os cabelos de Aquiles e o impediu de cometer o regicídio, como trouxemos retratado na pintura de Tiepolo na página anterior.

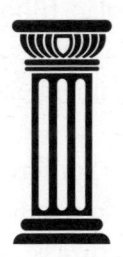

> [...] *ia sacando da bainha o gládio enorme.*
> *Então, do céu, Atena desce. Enviou-a Hera,*
> *dos braços brancos, que ama os dois, por*
> *[ambos vela.*
> *Por trás segura-lhe os cabelos louros,*
> *só visível para ele; ninguém mais a vê.*[57]

Assim que souberam que Aquiles e os mirmidões não lutariam mais, os troianos se animaram e passaram a investir com muito mais força contra o exército dos gregos. Agamêmnon, então, concedeu uma trégua às tropas, durante a qual Páris e Menelau deveriam duelar por Helena, mas esse combate não resolveu o conflito, pois Afrodite, vendo que Páris estava em desvantagem, protegeu-o em uma nuvem e levou-o de volta para Troia. Por causa da interferência direta de Afrodite, Hera mandou Atena acabar com a trégua, incitando Pândaro, filho de Licão, a disparar uma flecha contra Menelau. A divina esposa de Zeus também incitou Diomedes, um dos mais excelentes heróis, a matar Pândaro e a ferir Afrodite quando ela veio em socorro de seu filho Eneias no meio da batalha. Diomedes também teria matado Glauco se não fosse pela amizade antiga entre seus pais, da qual ambos se lembraram e, em reconhecimento e respeito a seus ancestrais, trocaram suas armas.

Heitor havia desafiado Aquiles para um combate corpo a corpo, mas como este não estava mais na batalha, Ájax tomou o seu lugar. Os guerreiros lutaram bravamente até o cair da noite, quando foram separados pelos arautos com reconhecimento mútuo pelo valor de seu oponente.

Uma nova trégua foi estipulada, e os gregos ergueram um grande túmulo para seus mortos, atrás do qual cavaram uma trincheira protegida por uma paliçada. No entanto, os aqueus se esqueceram de, durante a trégua, fazer oferendas para apaziguar os deuses que estavam protegendo Troia (esses eram Apolo, Afrodite, Ares, Ártemis e Leto), e, por causa disso, quando retornaram à batalha, logo foram perseguidos pelos troianos e obrigados a

---

[57] HOMERO. *Ilíada*. Tradução de Haroldo de Campos; introdução e organização Trajano Vieira. 4. ed. São Paulo: Arx, 2003. Vol. I. vv. 194-198.

se proteger atrás da trincheira que haviam construído. Vendo os apuros de seu exército, Agamêmnon enviou Fênix, Ájax e Odisseu até Aquiles, para acalmá-lo e para tentarem convencê-lo a voltar para a luta, com a promessa da restituição de Briseida e mais muitas outras recompensas. Nesse mesmo dia, à noite, Atena instigou Odisseu e Diomedes a fazerem um reconhecimento das áreas troianas. Nesse percurso, eles encontraram Dolão, filho de Eumelo, conseguiram algumas informações dele e depois assassinaram-no. Depois, eles toparam com Reso, herói trácio, e doze de seus companheiros, mataram-nos todos e levaram seus cavalos para as naus gregas.

No dia seguinte, houve uma feroz batalha, da qual saíram feridos Agamêmnon, Diomedes, Odisseu, Eurípilo e Macáon, causando a retirada dos aqueus e fazendo com que Heitor, encorajado por Apolo, cruzasse a linha grega e avançasse em direção às naus inimigas. Já sabendo das intenções do herói troiano, Hera encabeça um plano para distrair Zeus e afastá-lo do conflito, a fim de dar alguma vantagem para os gregos; então, ela pediu emprestado o cinturão de Afrodite, que continha todos os charmes da deusa, e seduziu o marido. Não demorou muito para Zeus perceber que havia sido alvo de uma das artimanhas de Hera e logo reanimou Heitor e os outros troianos.

Ao ver que os troianos haviam ateado fogo às naus dos aqueus, Aquiles permitiu que Pátroclo liderasse os mirmidões e fosse ao auxílio dos gregos, equipado com suas próprias armas, sua armadura e seus cavalos. Quando os troianos avistaram Pátroclo, confundiram-no com Aquiles e bateram em retirada. A orientação de Aquiles era que Pátroclo apenas expulsasse os inimigos de perto das naus e não os perseguisse, mas o jovem seguiu-os até a cidade enquanto eles fugiam. No caminho, Pátroclo matou Sarpédon, filho de Zeus, mas acabou ele mesmo sendo morto por Heitor, após o príncipe troiano ter percebido que não estava diante do temível Aquiles, mas de seu fiel companheiro. Houve uma disputa pelas armas de Aquiles, da qual Heitor saiu vencedor, mas Ájax conseguiu, com dificuldade, reaver o corpo de Pátroclo.

Como estava enfurecido e sofrendo pela morte de Pátroclo, Aquiles decidiu deixar de lado suas diferenças com Agamêmnon; ele recebeu Briseida de volta e retornou para a guerra, dessa vez com novas armas forjadas por Hefesto a pedido de sua mãe, Tétis. Assim, Aquiles avançou ferozmente contra os troianos, encurralando-os e levando a batalha até os portões de Troia. Lá, ele persegue Heitor ao redor da cidade, até que o príncipe troiano proponha um trato: o vencedor deve respeitar o cadáver do vencido, permitindo que todos os ritos fúnebres sejam cumpridos de forma digna. Aquiles recusa qualquer trato e desfere o golpe mortal contra Heitor. Depois disso, ele amarrou o corpo do rival pelos tornozelos em sua carruagem, arrastou-o sem piedade em frente à família real troiana e, em seguida, levou o cadáver para o acampamento dos aqueus.

De volta ao acampamento, os gregos realizam os jogos fúnebres em honra a Pátroclo. Terminados os jogos, apesar de seu cansaço, Aquiles levantava-se todos os dias de manhã e arrastava o cadáver de Heitor três vezes em volta do túmulo de Pátroclo. Apolo, no entanto, protegia o corpo do príncipe para que não se lacerasse muito. Como a situação era insustentável, Zeus ordenou que Hermes conduzisse Príamo ao acampamento inimigo para suplicar pelo corpo do filho. Após os comoventes apelos do velho rei de Troia e a oferta de um resgate, Aquiles acaba cedendo e resolve devolver o cadáver de Heitor, agora já apaziguado de sua ira. O herói prometeu, ainda, uma trégua para que os troianos dessem a Heitor um funeral adequado, pelo tempo que precisassem.[58]

A MORTE DE AQUILES

Aquiles sempre esteve destinado a perecer em Troia: Tétis já o alertara de que se ele lutasse na guerra, morreria jovem, mas sua fama seria imortal; se ele, por outro lado, não lutasse, teria uma vida longa, mas seu nome cairia em esquecimento.

Como o destino de Aquiles, o de vida breve, havia sido selado antes mesmo de seu nascimento por um oráculo, sua mãe tentou torná-lo imortal, banhando-o no rio Estige — um dos rios do Hades. Como ela o segurava pelos calcanhares, esses foram as únicas partes do corpo do herói a ficarem vulneráveis, visto que não foram submersas na água do rio. A versão mais popular é a de que Aquiles foi morto por uma flecha que o acertou em um dos seus calcanhares, flecha esta desferida por Páris, mas conduzida certeiramente por Apolo, como vingança por

---

[58]   *Biblioteca* (Epit. 3, 3.28-34). GRAVES (2018, vol. 2, pp. 417-429).

todos os ultrajes que Aquiles havida cometido contra os troianos e, sobretudo, contra o cadáver de Heitor. Daí a expressão "calcanhar de Aquiles".[59]

A morte de Aquiles. Peter Paul Rubens, c. 1630.

[59] *Biblioteca* (Epit. 5, 5.1-7). GRAVES (2018, vol. 2, pp. 442-452).

O FIM DA GUERRA

Havia uma profecia, anterior aos últimos eventos da guerra, que dizia que Troia só seria tomada se os gregos tivessem consigo o arco de Héracles para os ajudar. A fim de cumprir essa profecia, Odisseu e Diomedes viajaram até Lemnos para reaver a arma que estava com Filoctetes, desde que ele havia sido ferido e deixado lá, incapaz de lutar. Odisseu também convenceu Filoctetes a retornar com ele para Troia e, chegando lá, ele foi curado e, logo em seguida, assassinou Páris com uma das flechas de Héracles que havia sido envenenada com o sangue da Hidra.

Depois que Páris morreu, Heleno e Deífobo passaram a disputar a mão de Helena. Como Deífobo era o pretendente mais adequado de acordo com a vontade de Príamo, Heleno deixou Troia e foi viver no Monte Ida. No entanto, Calcas, o adivinho dos gregos, sabia que Heleno conhecia os oráculos que protegiam a cidade de Príamo e, por isso, Odisseu partiu em sua busca para descobrir como Troia poderia ser finalmente conquistada. De acordo com Heleno, isso só aconteceria se os ossos de Pélops, antigo rei do Peloponeso, fossem trazidos aos aqueus, e se Neoptólemo, filho de Aquiles, lutasse como aliado deles, e se o Paládio (aquela estátua de madeira que caiu do céu e que Ilos colocou no templo de Atena) fosse retirado do templo, pois, enquanto ele estivesse lá, a cidade seria invencível.

Assim sendo, os gregos logo se dispuseram a cumprir tais exigências. Conseguiram recrutar Neoptólemo, que venceu muitos soldados troianos, e Odisseu conseguiu capturar o Paládio numa noite, tendo adentrado os muros de Troia disfarçado de mendigo e após ter recebido a ajuda de Helena, que o havia reconhecido.

Apesar de os gregos terem obtido sucesso em todas essas empreitadas, Odisseu ainda teve a ideia de construir um cavalo de madeira. Esse cavalo foi construído pelo arquiteto Epeu e abrigava vários dos melhores soldados gregos (algumas versões sugerem que o cavalo podia abrigar cinquenta homens). Segundo as ordens de Odisseu, o restante do contingente deveria incendiar o acampamento onde estavam, retornar aos navios e navegar até Tênedos, onde aguardariam até o momento de retornar a Troia na noite seguinte. Foi o que fizeram, e Odisseu cravou a seguinte frase no cavalo:

"PELO SEU RETORNO PARA CASA, UM AGRADECIMENTO A ATENA, DOS GREGOS".

Pela manhã, quando os troianos viram que o acampamento dos gregos estava deserto, pensaram que eles tinham deixado Troia definitivamente. Bastante animados, eles então levaram o cavalo para dentro da cidade e começaram a deliberar sobre o que fazer com o presente. Cassandra alertou que havia homens armados dentro do cavalo e, apesar de ter sido ouvida por alguns, a maioria decidiu que eles deveriam deixá-lo ali mesmo, já que se tratava de uma oferenda a Atena. Então, os troianos voltaram-se às festividades para comemorar o fim da guerra.

No cair da noite, quando os troianos estavam dormindo, os gregos que estavam esperando em Tênedos voltaram, e Odisseu e seus companheiros saíram do cavalo, abrindo os portões da cidade para permitir a entrada dos soldados que haviam retornado. Durante o ataque, Príamo foi morto por Neoptólemo, e Deífobo foi morto por Menelau, que conduziu Helena de volta para os navios. Depois de matarem os troianos, os gregos colocaram fogo na cidade e dividiram os espólios, que incluíam as mulheres reais de Troia: Agamêmnon tomou Cassandra, Neoptólemo tomou Andrômaca, a esposa de Heitor, e Odisseu tomou Hécuba, a esposa de Príamo.

Apenas duas famílias troianas foram poupadas: a de Glauco, cujo pai era Antenor, e a de Eneias, cujo pai era Anquises.[60] Sobre Eneias e Anquises falaremos melhor mais à frente.

A procissão do cavalo de Troia em Troia (detalhe).
Giovanni Domenico Tiepolo, c. 1760.

---

[60] *Biblioteca* (Epit. 5, 5.8-25). GRAVES (2018, vol. 2, pp. 460-485).

O RETORNO DE ODISSEU

Depois de partir de Troia, Odisseu — conhecido em Roma como Ulisses — atracou primeiro em Ismara, cidade dos cícones, uma tribo da Trácia, e saqueou-a, poupando apenas Máron, um sacerdote de Apolo, que lhe deu uma garrafa de vinho para expressar sua gratidão. No entanto, os cícones que habitavam o interior da cidade avistaram os sinais de uma batalha e foram todos ao auxílio de seus conterrâneos. Como pegaram Odisseu e seus homens de surpresa, colocaram todos eles em fuga imediatamente, fazendo-os partir de Ismara em seus navios.

Depois de nove dias sendo levados por um terrível vento, avistaram um promontório na região da Líbia, onde residiam os comedores da flor e do fruto da lótus, os Lotófagos. Lótus é uma flor que dá um fruto pequeno e doce, causador de efeitos psicotrópicos, que faz com que todos que o experimentem percam a memória. Assim que desembarcaram nesse lugar, Odisseu enviou três de seus companheiros para explorar a região e identificar seus habitantes. No caminho, porém, esses homens comeram o fruto e se esqueceram completamente da missão que haviam recebido. Como eles não voltavam com as notícias, Odisseu foi em busca deles e soube do que havia acontecido. Assim, ele proibiu os outros homens de provarem o fruto, ele mesmo se contendo, e levou os companheiros sem memória à força para as naus, partindo com todos eles.

Sua próxima parada foi na ilha dos Ciclopes, criaturas que possuíam apenas um grande olho bem no centro da face, onde ele desembarcou apenas com doze homens. Perto da orla, havia uma caverna; nessa caverna, habitava o ciclope Polifemo, filho de Poseidon e da ninfa Toosa, que adorava comer carne humana. Odisseu e seus companheiros lá entraram e logo começaram a preparar um banquete com alguns dos cabritos e queijo que ali havia, mas assim que Polifemo chegou, trazendo consigo muita lenha e um rebanho de ovelhas, fechou a entrada de seu lar com uma grande pedra. Demorou um pouco até que ele percebesse a presença dos intrusos, pois antes ordenhou seu rebanho. Quando notou os homens, primeiro perguntou a eles de onde vinham; Odisseu respondeu, contando sobre os eventos em Troia e pediu ao ciclope que respeitasse os princípios de hospitalidade regidos por Zeus. Polifemo debochou dos deuses, pois não os cultuava, tampouco respeitava a hospitalidade entre os estrangeiros. Então, ele avançou contra os companheiros de Odisseu, devorando alguns deles. Odisseu teria se vingado de imediato, mas sabia que somente o monstro seria forte o bastante para abrir a entrada da caverna novamente, então ele passou a noite pensando em um plano.

Na manhã seguinte, Polifemo repetiu o ritual de ordenhar as ovelhas e depois devorou mais dois homens. Depois disso, ele abriu a caverna e levou as ovelhas para o pasto. Quando voltou, mais uma vez alimentou-se dos homens, mas dessa vez Odisseu, recordando-se da garrafa de vinho que havia recebido de Máron, ofereceu a bebida ao ciclope, que a aceitou. Depois de beber muito, Polifemo perguntou a Odisseu qual era o seu nome, e ele respondeu que era "Ninguém"; então o monstro prometeu devorar todos os homens que estavam ali, deixando Odisseu (Ninguém) por último, como que para recompensá-lo pelo vinho que ele havia lhe dado.

Enquanto Polifemo dormia, Odisseu encontrou uma estaca no chão da caverna e, com a ajuda de seus parceiros, afiou-a bem. Depois, ele esquentou a estaca na fogueira até que ela quase pegasse fogo e cravou-a no olho do ciclope, cegando-o. O monstro uivou, desesperado, e começou a clamar pela ajuda dos outros ciclopes da ilha, que logo vieram em seu auxílio. Polifemo disse aos seus iguais que havia sido atacado por "Ninguém" e, como ele insistia nessa resposta, os outros ciclopes pensaram que ele tinha sido o responsável pelo seu próprio ferimento e foram embora. Ainda pensando em como poderia tirar a si e aos seus homens daquela situação, o astucioso Odisseu prendeu três carneiros juntos com vimes e escondeu-se com os seus amigos sob o carneiro do meio, pendurados à barriga dos animais. Esperaram durante a noite toda e, quando amanheceu e já estava na hora do rebanho sair para o pasto, Polifemo apalpou cada um dos carneiros para se certificar de que Odisseu e os homens que restavam não haviam se escondido ali, mas ele apenas apalpava a parte de cima dos animais, então não se deu conta da trama.

O cegamento de Polifemo (detalhe). Pellegrino Tibaldi, c. 1550.

Assim, Odisseu viu-se livre do monstro e correu com os homens para as naus, levando algumas das ovelhas do rebanho. Quando já estava longe o bastante, gritou para Polifemo:

> "Ó Ciclope, se algum homem mortal te perguntar
> quem foi que vergonhosamente te cegou o olho,
> diz que foi Odisseu, saqueador de cidades,
> filho de Laertes, que em Ítaca tem seu palácio."[61]

Esse foi o motivo que despertou a ira de Poseidon contra Odisseu, pois logo Polifemo invocou o pai:

> "Ouve-me, Poseidon de cabelos azuis, Sacudidor da Terra!
> Se na verdade sou teu filho, e se declaras ser meu pai,
> concede-me que nunca chegue a sua casa Odisseu,
> saqueador de cidades, filho de Laertes, que em Ítaca habita.
> Mas se for seu destino rever a família e regressar
> ao bem construído palácio e à terra pátria, que chegue
> [tarde
> e em apuros, tendo perdido todos os companheiros,
> na nau de outrem, e que em casa encontre muitas desgraças."[62]

---

[61] *Odisseia* (Canto IX, vv. 502-505). Tradução de Frederico Lourenço.
[62] Ibid. (*id.*, vv. 528-535).

Depois das aventuras com o ciclope, Odisseu chegou a Eólia, cujo rei era Éolo, que recebeu de Zeus o poder de controlar os ventos. Éolo recebeu bem os estrangeiros, hospedando-os por um mês; no dia da partida, ele presenteou Odisseu com um saco, feito de couro e fechado com uma corda de prata, que guardava todos os ventos. O rei mostrou ao viajante qual dos ventos ele deveria usar para regressar à sua terra e depois prendeu o saco ao navio de Odisseu. Agora dominando os ventos, Odisseu pôde fazer uma boa e tranquila viagem, mas, assim que estava se aproximando de Ítaca e avistou a fumaça das fogueiras, tranquilizou seu coração e caiu no sono. Enquanto o filho de Laertes dormia, os companheiros pensaram que ele levava ouro na bolsa que estava amarrada à embarcação e abriram-na, liberando os ventos todos e fazendo com que a nau voltasse para o ponto de onde tinham partido. De volta a Eólia, Odisseu pediu novos ventos favoráveis a Éolo, porém o rei disse que ele mesmo era incapaz de ajudar um homem se os deuses agiam contra ele e, dessa vez, despediu-se de Odisseu sem acolhê-lo.

Em seguida, Odisseu chegou ao país dos Lestrígones, que eram canibais. Aportaram, e ele enviou três homens para fazer o reconhecimento da região. Encontraram, na entrada da cidade, uma jovem, que era a filha do rei, Antífates. Ela então levou-os até seu pai e, quando chegaram ao palácio, ele agarrou um dos homens e devorou-o! Os outros homens fugiram, perseguidos pelo rei, que gritava chamando os outros Lestrígones. Os canibais chegaram até a praia, onde avistaram os navios dos viajantes, e começaram a atirar pedras contra eles para danificá-los; depois, devoraram os homens que ainda estavam por perto. Odisseu conseguiu soltar as cordas que prendiam sua nau e partiu, mas as outras embarcações foram perdidas — e seus tripulantes também.

Aportaram, depois, em Eeia, onde morava a feiticeira Circe — irmã de Eetes e filha de Hélio, o Sol, e de Perse, filha do Oceano. Permaneceram nas naus por dois dias e duas noites, cansados e entristecidos. No terceiro dia, Odisseu decidiu dividir os companheiros em dois grupos: ele ficou junto ao navio com alguns homens enquanto Euríloco partiu para falar com Circe acompanhado de vinte e dois varões. Ela convidou todos a entrarem em seu palácio e ofereceu-lhes queijo, mel, cevada e depois vinho, mas misturou uma terrível poção na comida. Depois que eles comeram o banquete, ela tocou-os com uma vara de condão e transformou-os em porcos. Euríloco observava tudo de fora, pois fora o único a não entrar no palácio, já suspeitando de alguma artimanha, e foi correndo contar a Odisseu o que acontecera, e ele correu para ajudar os amigos.

A feiticeira (Circe). John William Waterhouse, 1911.

No caminho, encontrou Hermes, que desejava ajudá-lo. O deus deu a ele uma droga ainda mais potente do que aquelas usadas pela feiticeira e orientou-o a usá-la para anular os efeitos das poções de Circe. Hermes instruiu-o, ainda, a levar consigo uma espada e a avançar contra a mulher, como se fosse atacá-la; assim agindo, ela, amedrontada, ofereceria seu leito a Odisseu, que, por sua vez, não deveria recusá-lo, mas, sim, exigir segurança em troca. Tudo aconteceu conforme o deus previra. Além disso, Odisseu conseguiu com que Circe libertasse seus companheiros; somente assim ele depositou sua total confiança na feiticeira e ficou com ela por um ano.

Não obstante, antes de partir, Circe orientou-o a descer ao Hades para ir ter com a alma de Tirésias, cego adivinho tebano, a fim de que ele indicasse a Odisseu a melhor rota e o melhor jeito para regressar à pátria. Seguindo as instruções de Circe, mas muito a contragosto, Odisseu partiu para o submundo. Lá, ele encontrou as almas de seus aliados Elpenor, Agamêmnon, Aquiles, Pátroclo, Antíloco e Ájax, e de sua mãe, Anticleia. Viu, também, Tântalo e Sísifo em seus suplícios e o grandioso Héracles (Hércules). Quanto a Tirésias, o ancião profetizou que o retorno de Odisseu seria muito difícil e conturbado devido à fúria de Poseidon por ele ter cegado Polifemo. No entanto, previu ainda que Odisseu voltaria ao lar, depois de muitos sofrimentos, se conseguisse refrear seu ímpeto e o de seus companheiros quando chegassem a Trinácia e se deparassem com o ilustre gado do titã Hipérion: se deixassem os bois ilesos, poderiam voltar a Ítaca; caso contrário, uma desgraça abateria a nau e todos os homens, fazendo com que Odisseu perdesse todos os seus companheiros, retornasse sozinho depois de muito tempo e encontrasse mais sofrimento em casa.[63] Ao deixar o Hades, Odisseu navegou de volta a Eeia, e Circe liberou-os todos, indicando um caminho seguro e livre de males para a próxima fase da viagem.

Retomando sua jornada, Odisseu teve de passar pela ilha das sirenes (sereias). Circe já o havia alertado sobre essas criaturas e o aconselhado a tampar os ouvidos (seus e dos companheiros) com cera de abelha, para que não ouvissem o canto hipnotizante das mulheres-ave — sim, na Antiguidade as sereias não eram mulheres-peixe, saiba mais sobre elas no nosso verbete sobre as "sirenes". Elas tentaram enfeitiçar Odisseu com o canto e com palavras dóceis, prometendo-lhe revelar o futuro, mas ele estava preso ao mastro da nau para não se atirar ao mar e ir ao encontro delas, e lá permaneceu, já que seus homens o impediram de se soltar. Como ele foi o único a ouvir o canto das sirenes e conseguir se salvar, elas se suicidaram, cumprindo, assim, a maldição que Deméter lhes havia lançado.[64]

Circe oferecendo a taça para Ulisses. John William Waterhouse, 1891.

Tendo vencido a tentação das sirenes e continuado sua viagem, logo Odisseu se deparou com uma bifurcação, também já anunciada por Circe. De um lado, ele se depararia com Cila, um monstro que, segundo a versão romana narrada por Ovídio, havia sido uma ninfa transformada pela bruxa Circe por inveja;[65] do outro, com Caríbdis, outro monstro que sugava a água do mar com grande violência. A nau aproximou-se perigosamente de Cila, que

---

[63] Ibid. (Canto II, vv. 100-137).
[64] Isso também é narrado no verbete sobre as sirenes na seção "Criaturas prodigiosas" deste livro.
[65] OVÍDIO. *Metamorfoses*. Tradução de Domingos Lucas Dias. São Paulo: Editora 34, 2017. Canto XIV, vv. 1-74. p. 731-35.

Circe Invidiosa. John William Waterhouse, 1892.

logo abocanhou seis dos companheiros de viagem. Com muito pesar, Odisseu conseguiu afastar a nau do perigo, enquanto assistia a seus amigos pedindo socorro no turbilhão das águas.

Deixando o pavor dos monstros para trás, os homens chegaram à ilha de Hipérion. Avistaram o titã cuidando de seu rebanho de ovelhas e de seu gado, e Odisseu fez os companheiros jurarem que não atentariam contra os animais; eles deveriam, conforme as instruções da feiticeira Circe, contentar-se com as provisões que ela mesma lhes dera, e não roubar uma vaca sequer. Se o fizessem, estariam condenados a mais infortúnios. Lá eles desembarcaram e prenderam os navios. Porém, em pouco tempo eles se viram em dificuldade, pois o Noto, o vento do sul, soprou durante trinta dias e, embora os homens saíssem para caçar e pescar todos os dias, os animais estavam escassos, e muitas vezes eles voltavam de mãos vazias. Assim sendo, Euríloco, que já estava faminto, convenceu os amigos a matarem parte do gado, garantindo que construiriam um maravilhoso templo em homenagem a Hipérion assim que chegassem a Ítaca. Confiando nas palavras de Euríloco, os demais esperaram até Odisseu dormir e se apoderaram de várias vacas, mataram-nas, separaram as gorduras para oferecer aos deuses e reservaram carne suficiente para seis dias de refeição.

Tão logo despertou, Odisseu viu o que havia acontecido e ficou estarrecido. Hipérion também não tardou a saber do ultraje e foi se queixar com Zeus. O poderoso Cronida então lançou raios sobre a nau de Odisseu, que já tinha partido mais uma vez, e iniciou uma terrível tempestade. Por causa da vingança de Zeus, o navio afundou e todos os homens que restavam se afogaram, com exceção de Odisseu. Ele ficou à deriva em uma embarcação improvisada que havia montado a partir do que restara de sua nau, mas logo os ventos o levaram, novamente, a Caríbdis. Para se salvar do monstro, Odisseu agarrou-se a uma alta figueira e esperou até o momento em que a fera soltasse a salgada água do mar novamente. Junto com a água, Caríbdis soltou também os destroços da nau, os quais Odisseu usou para fugir. Por nove dias ele vagou, e no décimo chegou a Ogígia, terra da belíssima ninfa Calipso, que era filha de Atlas.[66]

Cila, anteriormente uma ninfa, mas transformada em monstro pela feiticeira Circe.

  Calipso recebeu Odisseu, cuidou dele e amou-o. Ele ficou com ela durante cinco anos e juntos tiveram um filho chamado Latino. Foi depois desse tempo que Poseidon finalmente ocupou-se de outros assuntos e abrandou suas investidas contra Odisseu, e Zeus, a pedido de Atena, aproveitou a

---

[66] Confira o Canto 12 da *Odisseia* para os eventos que se sucederam entre a chegada de Odisseu em Eeia e sua vitória sobre Caríbdis.

ausência do irmão para enviar Hermes a Ogígia e convencer Calipso a permitir que Odisseu partisse, enfim, para Ítaca. Nessa época, o filho de Laertes já havia se cansado da encantadora ninfa e chorava, todos os dias, olhando o mar, ansioso pelo retorno à terra pátria. Então, Calipso ensinou-o a fazer uma balsa e equipou-o com pão, vinho e água para a viagem. Após ter construído a balsa, Odisseu partiu com uma brisa suave.

Logo que retornou de sua missão, Poseidon avistou Odisseu navegando na balsa e, furioso, lançou uma enorme onda contra ele. A balsa foi destruída, com o impacto das águas, as roupas de Odisseu se perderam nas profundezas do mar. Atena interferiu outra vez, enviando ventos para acalmar as ondas, que lançaram Odisseu na praia de uma ilha ocupada pelos feácios. Lá, perto de um riacho, ele se cobriu com folhas e adormeceu.

Pela manhã, a filha do rei Alcínoo, Nausícaa, foi lavar as roupas no riacho. Depois que terminou, ficou ainda um tempo brincando de bola com suas criadas. Durante a brincadeira, Odisseu acordou assustado; ainda se cobrindo com folhas para disfarçar sua nudez, dirigiu-se a Nausícaa, que o levou ao palácio real. Alcínoo recebeu Odisseu muito bem e, tendo ouvido todas as suas aventuras, deu-lhe diversos presentes e mandou-o para Ítaca em um novo navio com tripulantes que conheciam bem o caminho a ser percorrido. Os marinheiros conduziram a nau até o porto de Fórcis, já em Ítaca, e lá deixaram Odisseu com seus presentes adormecido sob uma oliveira.

No entanto, Odisseu não foi para seu palácio de imediato. Em primeiro lugar, ele não identificou onde estava quando acordou, pois Atena tinha lançado um encanto sobre ele e, disfarçando-se como um jovem pastor, conversou com ele para ouvir sua história. Em seguida, ela também o disfarçou para que não fosse reconhecido. Acontece que Odisseu ficou sabendo que diversos pretendentes estavam cortejando sua esposa, Penélope, pois pensavam que ele estava morto, e que seu filho, Telêmaco, tinha ido para Esparta buscar notícias do pai com Menelau. Desse modo, Atena buscava ajudá-lo a elaborar a sua vingança.

Odisseu primeiro chegou até Eumeu, fiel cuidador de porcos do palácio, que não o reconheceu, mas lá, na casa do criado, encontrou Telêmaco e, com a permissão de Atena, revelou sua identidade após a deusa restituir-lhe sua verdadeira forma. Depois, outra vez Odisseu assumiu o aspecto de um mendigo para que pudesse observar os pretendentes e, com a ajuda do filho, entrar no palácio como hóspede. Seu intuito era testar o caráter dos pretendentes e, muito em breve, ele obteve suas respostas, pois todos os pretendentes o maltrataram e caçoaram dele, visto que pensavam se tratar apenas de um pedinte.

Com a ajuda de Telêmaco, Odisseu conseguiu conversar com Penélope sem que ela soubesse quem ele era, apenas para assegurar-lhe de que seu marido estava vivo e a caminho de casa; para tanto, ele se passou por alguém que conhecera Odisseu. Como forma de gratidão, Penélope pediu para a velha ama de Odisseu, Euricleia, lavar os pés do viajante que estava diante delas. Ao fazê-lo, Euricleia viu a notável cicatriz que Odisseu tinha na coxa, de uma ferida antiga, e reconheceu-o imediatamente. Penélope, porém, ainda não desconfiava de nada.

Duas noites depois, porque os pretendentes apressavam Penélope a tomar uma decisão sobre sua futura união, estabeleceu-se uma competição para determinar o vencedor que lhe tomaria a mão. A prova consistia em acertar uma flecha em doze anéis de machado, estando eles em linha reta, com os cabos cravados em uma vala, e era uma prova já vencida por Odisseu em uma outra ocasião. Penélope desejava emular a façanha do marido. No decorrer da prova, Telêmaco armou-se e Odisseu revelou sua identidade a todos e começou a atacar os rivais, vencendo-os todos com a assistência de Atena, que estava presente na forma de uma andorinha. Odisseu poupou apenas o arauto Medonte e do aedo Fêmio, pois não haviam lhe causado mal algum.

Após longos vinte anos, Odisseu pôde reunir-se com sua esposa, com seu filho e com seu pai, e contou-lhes suas façanhas e aventuras. Para apaziguar de vez a cólera de Poseidon, Odisseu viajou para além de Epiro, até a cidade de Tesprócia, onde sacrificou ao deus um carneiro, um touro e um javali, conforme Tirésias havia orientado naquela ocasião do encontro entre os dois.[67]

ENEIDA

Se a história de Odisseu na *Odisseia* de Homero trata de retorno ao lar após a Guerra de Troia, a história de Eneias na *Eneida* é a de uma fundação de um local que possa ser um novo lar, visto que seu precedente (Troia) fora completamente destruído pelos gregos. O lugar escolhido para ser esse novo lar ficava localizado exatamente no centro da Península Itálica, e os descendentes

---

[67] *Biblioteca* (Epit. 7, 7.1-40). GRAVES (2018, vol. 2, pp. 498-527).

de Eneias, que permaneceram nesse local, vieram a fundar a cidade que seria conhecida como Roma.

A obra *Eneida*, publicada postumamente — e com certas partes inacabadas —, em 19 AEC, narra em doze livros (ou cantos) "os últimos dias da cidade (Troia), invadida com o expediente do cavalo de madeira e logo incendiada, a fuga de Eneias, conduzindo o pai, Anquises, e Ascânio, o filho, as errâncias por mar até chegar à Itália, a guerra contra os povos itálicos e a vitória final."[68]

O que precisa ficar claro é que Virgílio não foi o inventor da história de que Eneias migrou para o Oeste, essa era uma história que já circulava há séculos. O registro mais antigo que temos dessa circulação é de um autor do século V AEC chamado Helânico de Mitilene, também conhecido como Helânico de Lesbos. Sabemos disso por meio do autor Dionísio de Halicarnasso,[69] que nos conta que Helânico, logógrafo e poeta, dedicou-se à saga dos heróis tanto gregos como troianos que migraram para o Oeste e fundaram cidades, estando Eneias entre eles.[70] E não só Eneias, mas já havia uma tradição de histórias de heróis que migravam em direção ao Ocidente, sendo o próprio Odisseu e Diomedes, um outro herói da *Ilíada*, exemplos disso.[71]

Obviamente Virgílio empregara todo seu engenho e qualidade de poeta na *Eneida*, elevando a épica romana ao seu auge, mas ele também dialoga e trabalha com narrativas já conhecidas e transmitidas há muito tempo. A genialidade de Virgílio repousa exatamente nessa capacidade de atualizar os velhos mitos para sua realidade e época. É o processo que conhecemos como *imitatio* e *æmulatio*, isto é, imitação e emulação. Para os antigos era uma característica positiva retomar a produção dos predecessores, valendo-se de seus mecanismos e processos de produção,[72] mas também com um necessário esforço para igualar o trabalho em uma espécie de homenagem e prova do conhecimento e do engenho do autor.[73]

Tendo esse processo usado por Virgílio em mente, Eneias se torna um dos antepassados do fundador de Roma, portanto, autorizando os romanos

---

[68] NETO, J. A. O. Breve anatomia de um clássico. In: VIRGÍLIO. *Eneida*: edição bilíngue. Tradução de Carlos A. Nunes. 2. ed. São Paulo: Editora 34, 2016. p. 9-65.

[69] Helânico de Mitilene, *Troika* apud Dion. Hal., *Ant. Rom.*, I. 46- 47.

[70] MOTA, T. E. A. A viagem de Eneias rumo ao Ocidente mediterrânico: uma genealogia do mito do herói prófugo. *Romanitas* – Revista de Estudos Grecolatinos, n. 18, p. 40-63, 2021.

[71] BROUWERS, J. *Aeneas before Virgil*: Early Greek sources about the Trojan hero. Disponível em: <https://www.joshobrouwers.com/articles/aeneas-before-virgil-early-greek-sources-trojan-hero/>. Acesso em: 25 jan. 2023.

[72] MARTINS, P. *Literatura latina*. Curitiba: Iesde Brasil, 2009. p. 27

[73] RODRIGUES, M. A. A æmulatio senequiana: o caso da tragédia *Agamêmnon*. *Classica*, v. 33, n. 1, 2020. p. 33.

a se considerarem herdeiros de um semideus, Eneias, e de uma deusa, Vênus, pois ela é a mãe do herói troiano. Essa linhagem se encaixou perfeitamente na narrativa que o Imperador Augusto queria transmitir ao seu povo: um povo de ascendência divina não deveria lutar entre si, mas estar pacificado (*Pax Romana* após as Guerras Civis) e unido para subjugar os outros povos, inferiores em origem (expansão do Império). A *Eneida* também tem diversos trechos em que a política augustana é enaltecida de outras maneiras.

TROIA E OS VENCIDOS PENATES EM BUSCA DA ITÁLIA DISTANTE

A *Eneida* é dividida em doze cantos, dentre os quais, os seis primeiros, conhecidos como **a metade odisseica**, equivalem às aventuras do retorno de Ulisses para Ítaca, na *Odisseia*, e os seis últimos cantos, conhecidos como **a metade iliádica**, equivalem aos feitos bélicos narrados na *Ilíada*. De modo geral, contudo, a história de Eneias e do povo troiano buscando se estabelecer na Itália é contada na épica virgiliana da seguinte maneira:

Eneias encontra-se navegando pelo Mediterrâneo sem rumo certo após ter fugido com os Penates, sua família — menos sua mulher, Creúsa, pois essa não compartilhava do destino de seu marido e de seu filho — e alguns troianos, depois de a cidade ter sido invadida pelos gregos. A deusa Juno, que defendia os gregos e odiava os troianos, continuava a causar problemas para Eneias e sua pequena frota, enviando tempestades e ventos para que naufragassem. A deusa passou a detestar ainda mais os troianos quando soube de uma profecia que dizia que eles fundariam uma cidade (a futura Roma) que destruiria Cartago, cidade no norte da África em que Juno era patrona e tinha um grandioso templo em sua honra.

Depois de muitas errâncias, é justamente em Cartago que Eneias aporta. Vênus, mãe do herói, recorre a Júpiter, o Todo-Poderoso, para pedir sossego ao seu filho, mas o Senhor do Olimpo abre os arcanos do destino e mostra que Eneias está destinado a ter um futuro grandioso e fundar uma cidade majestosa, que viria a ser Roma. Enquanto isso, Eneias em Cartago descobre o grandioso templo de Juno, que contém pinturas da ainda recente Guerra de Troia, e Eneias vê a si mesmo e seus companheiros de batalha retratados nos painéis e paredes do templo. Nesse meio-tempo, Dido, a rainha de Cartago, chega ao templo e o leva ao palácio para um grande banquete. A deusa Vênus nesse momento começa a influenciar a rainha, a fim de que se apaixone por seu filho.

Eneias fugindo de Troia. Pompeo Batoni, 1753.

Na corte de Dido, Eneias começa uma longa narrativa sobre os seus infortúnios, desde a queda da cidade de Troia — momento em que conta do artifício do cavalo de madeira, presente dos gregos — até suas errâncias por diversos lugares após a fuga. O herói conta que quando o palácio real do rei troiano, Príamo, estava sendo invadido, ele chega a ver Helena, a causadora de toda a desgraça, e corre para matá-la, ato que é impedido por sua mãe, Vênus. Eneias, então, deixa esse plano de lado e volta para salvar sua família. Consegue pegar seu filho, Ascânio —que depois será renomeado para Iulo — e seu pai, Anquises, mas sua mulher, Creúsa, não compartilha de seu destino, e só encontra seu fantasma, que a consola dizendo que não estava no plano dos deuses que fugisse de troia com o marido.

Deixando sua casa, Eneias vai ao monte Ida, reúne uma pequena esquadra e vai embora, levando os deuses Penates. Aí começa uma verdadeira odisseia, pois, em sua busca de um local para se estabelecer, vai a muitos lugares fantásticos, como a Trácia, em que ramos de plantas arrancados da terra vertem sangue e vozes do além-túmulo saem do chão; vai ao santuário de Apolo em Delos, vai a Creta, onde um surto de peste e de extremo calor faz com que batam em retirada; vão às Ilhas Estrófades, habitadas pelas Harpias, as mulheres-aves monstruosas;[74] vão também à terra dos Ciclopes, perto de um vulcão extremamente ativo, entre muitos outros lugares. É em meio a uma dessas viagens que o pai de Eneias, Anquises, morre. Eneias para a narrativa nesse ponto e se recolhe para o aposento cedido pela rainha Dido em seu palácio.

Contudo, um amor por Eneias já estava instalado em Dido, e ele só crescia mais. Acabam dormindo juntos em uma gruta após uma caçada, e Eneias chega a se vestir como cartaginês para ajudar a rainha a fundar casas e vilarejos. Mas os deuses não tinham a intenção de deixarem com que os dois ficassem juntos, e Júpiter envia Mercúrio para avisar Eneias, alertando-o de que deveria partir. O herói, convencido da importância daquele aviso dado pelo deus, arruma suas coisas para zarpar de Cartago. Quando Dido fica sabendo dos objetivos de Eneias, ergue uma grande pira, invoca os deuses ctônicos e infernais, lança-lhe uma maldição e se suicida com uma espada, como sacrifício aos deuses do submundo para que sua praga se cumpra.

---

[74]   Confira sobre elas no verbete "Harpias" colocado mais à frente neste livro.

Dido. Henry Fuseli, 1781.

Eneias aproveita que está completando um ano desde a morte de seu pai, Anquises, e aporta na Sicília para honrar sua memória com jogos fúnebres. Enquanto está ocupado com os preparativos e o andamento dos jogos, as mulheres troianas, cansadas de ficarem vagando e sem terem uma cidade para viver, resolvem incendiar as naus troianas para que se estabeleçam na Sicília de uma vez por todas. Júpiter, Senhor das Tempestades, envia uma grande chuva para apagar o fogo. Algumas embarcações são perdidas, mas Eneias concede que fiquem na Sicília, sob o comando do rei Acestes, as mulheres cansadas, os idosos e quem mais não estiver disposto a prosseguir com a viagem.

Durante um sonho, contudo, o fantasma de seu pai pede para que o filho desça até os Ínferos a fim de que possa lhe mostrar algo importante sobre seu destino e futuro. Eneias, portanto, zarpa da Sicília e vai até Cumas, lugar onde mora uma sibila — sacerdotisa e oráculo de Apolo — que pode lhe ajudar a performar a descida ao submundo. Esse processo de descer ao submundo é chamado de catábase e já havia sido feito por Ulisses no canto XI da *Odisseia*, quando o herói vai aos Ínferos para consultar o profeta Tirésias. Lá no mundo dos mortos, Eneias avista vários prodígios: as Mazelas da humanidade, as almas dos falecidos, o cachorro Cérbero — que é drogado com erva-dormideira —, vê a alma de Dido nos campos dos que morreram por amor, os Campos Lugentes. Finalmente, depois de um bom tempo, adentra os Campos Elíseos, mas não sem antes fazer uma oferenda para Plutão e Proserpina. Lá estava o pai de Eneias, que mostra ao filho as almas que estão esperando para reencarnarem. Entre elas estão as almas dos que, no futuro, estão destinados a feitos grandiosos em Roma como, por exemplo, Rômulo; os reis etruscos de Roma; Bruto, o instaurador da República; Pompeu; César e o mais importante de todos: Augusto! Eneias volta do submundo agora mais certo do que nunca do que precisa fazer para cumprir com seu destino.

Todavia, as coisas não serão nada fáceis, pois, para se estabelecer no Lácio, região central da Itália, ele deve enfrentar os povos itálicos que lá já viviam. No Lácio reinava Latino, filho do deus Fauno, que, por sua vez, era neto do próprio Saturno. A rainha Amata, esposa de Latino, queria que a princesa Lavínia, filha deles, embora estivesse destinada por uma profecia a se casar com um estrangeiro, fosse dada em casamento a Turno, o chefe de um outro povo latino, os rútulos. Com a chegada dos troianos, Eneias pede aliança e morada a Latino e em troca oferece apoio. Tudo isso é aceito pelo rei, que firma a aliança dando sua filha em casamento a Eneias, cumprindo, assim, com a profecia.

A deusa Juno, sempre contra os troianos, não fica contente com esse estabelecimento pacífico e envia uma das fúrias, Alecto, para semear a discórdia. Ela causa tantas intrigas que acaba conseguindo desencadear uma guerra entre os troianos e os latinos. Quando isso acontece, o rei Latino se recusa a chefiar um dos exércitos da guerra e se retira, mas Turno se oferece para liderar os latinos contra os troianos.

Precisando de reforço, Eneias busca aliança com Evandro, um chefe que veio da Arcádia e fundou uma cidade perto do rio Tibre, Palanteia, que mais tarde viria a ser o monte Palatino, uma das sete colinas de Roma. Evandro aceita a aliança. Agora Eneias precisa de armas dignas de um herói para lutar a batalha que definiria se seu povo teria finalmente repouso ou não. Para isso, a mãe de Eneias, Vênus, vai até seu marido, Vulcano, e, em troca de carícias, pede que o deus lhe faça armas em sua forja para presentear Eneias.

Enquanto Vulcano forja as armas de Eneias, Evandro diz ao herói que os etruscos poderiam ser aliados na guerra contra os latinos e os rútulos. E assim Eneias tenta angariar o apoio etrusco. Agora já com as suas armas, ele ganha um escudo intricadamente ilustrado com cenas — míticas e históricas — do futuro de Roma, inclusive com o mito de Rômulo e Remo, a batalha de Augusto em Ácio, entre outras cenas. É importante lembrar que o futuro para Eneias era o passado para o leitor de Virgílio no século I AEC.

Enfim começa a guerra, e, enquanto Eneias não volta com o reforço, os troianos ficam sitiados pelos rútulos e latinos. Dois troianos, Niso e Euríalo, que, além de guerreiros poderosos, mantinham também um relacionamento homoafetivo, se oferecem para sorrateiramente saírem da fortaleza troiana durante a noite, passarem pelo acampamento latino e irem avisar Eneias do sítio pelo qual passavam. Contudo, deslumbrado pelos despojos que consegue retirar do acampamento latino, Euríalo acaba capturado pelo exército inimigo. Eles são mortos juntos e não conseguem cumprir sua missão.

Os deuses no Olimpo acabam se reunindo em uma assembleia. Ao passo que Vênus advoga em favor dos troianos, Juno o faz em favor dos latinos. Não há consenso entre os deuses, e Júpiter decide que não favorecerá nenhuma das partes. Nesse meio-tempo, Eneias retorna com reforço, trazendo o exército etrusco, o exército árcade de Palanteia e o filho de Evandro, Palante. Durante a luta, há muitas baixas de ambos os lados. Morrem muitos troianos e seus aliados, bem como do lado latino. Turno até mesmo mata Palante, filho de Evandro, o que incita a ira de Eneias ainda mais.

O acordo de Camila e Turno.

O número de baixas é tão alto que é feita uma trégua para que se cremem os mortos e façam suas devidas honras fúnebres, o que é complicado, pois é difícil distinguir os aliados num mar de sangue e defuntos. Após essa trégua, Turno recebe um dos melhores reforços que poderia ter: uma amazona chamada Camila.[75] Ela entra no campo de batalha e executa feitos bélicos incríveis, mas acaba sendo morta por um ataque silencioso.

Agora sem Camila, os latinos e rútulos perdem a esperança e querem fazer as pazes com os troianos, mas Turno continua impassível. O chefe rútulo acaba aceitando um embate corpo a corpo com Eneias, mas não antes de muito estrago e matança ocasionados pelas atitudes da deusa Juno e da ninfa aquática e irmã de Turno, Juturna, uma vez que elas queriam evitar a todo custo um embate *tête-à-tête* entre os dois heróis.

Eneias e Turno. Luca Giordano, séc. XVII.

---

[75] Para saber mais sobre Camila, confira nosso capítulo "Amazonas" neste livro.

Contudo, o embate é inevitável, e Juno consente em deixar de proteger Turno, ela só solicita algumas condições a Júpiter: a deusa pede que quando os povos (troianos e latinos) forem se miscigenar tanto em sangue quanto em leis únicos, que eles não se chamem de "troianos" nem de qualquer outro nome que remeta a Troia, como "teucros", por exemplo. Ela quer que continuem a ser chamados de latinos e que não parem de falar latim. Desse modo, a deusa, de forma indireta, consegue o que quer e, pouco antes de Roma nascer, Troia e seu nome finalmente morrem.

RÔMULO E REMO

A lenda de Rômulo e Remo e da Loba nos é conhecida principalmente por meio de autores romanos do período imperial, como Tito Lívio, Virgílio, Ovídio entre alguns outros. Esses autores, por sua vez, foram influenciados por relatos mais antigos, como os de Quinto Fábio Pictor e Helânico de Mitilene, por exemplo. Fato é que essa lenda se enraizou como um mito fundador da cidade de Roma — pois os romanos antigos pensavam que os eventos haviam, de fato, acontecido —,[76] e a partir daí cristalizou-se na literatura.

Há várias versões do mito; cada autor ressaltava ou ocultava partes da lenda conforme era de seu interesse. A versão mais famosa até os dias de hoje do mito foi a contada pelo historiador romano Tito Lívio, que escreveu a monumental obra *Ab Urbe Condita* ou *Desde a fundação da cidade (Roma)*, em português. É com base nessa versão do mito que lhe narraremos a história:

Após o filho de Eneias, Ascânio — também conhecido como Iulo —,[77] ter fundado a cidade de Alba Longa, nas margens do rio Alba, posteriormente chamado de Tibre, e de ter reinado até o fim de sua vida, seus descendentes continuaram a governar a cidade. Sete gerações após Eneias e Iulo, houve um rei chamado Numitor. Esse rei tinha um irmão mais novo chamado Amúlio. Contudo, Amúlio era tão ganancioso e invejoso que arquitetou um plano para destronar Numitor e usurpar seu cargo. E ele assim o faz, também assassinando os filhos varões de Numitor.

---

[76] BEARD, M. *SPQR: A History of Ancient Rome*. Londres: Profile Books, 2015. p. 41.
[77] Alguns autores dizem que Iulo era filho de Ascânio e não um outro nome para o próprio Ascânio.

Loba Capitolina amamentando Rômulo e Remo.
Datação por radiocarbono da loba é do período medieval e os gêmeos são adição renascentista, mas ainda há muita discussão.

    Contudo, Numitor tinha uma filha, Reia Sílvia, e ela poderia ser um problema para a manutenção da posição de Amúlio como rei, uma vez que poderia gerar filhos que seriam os legítimos sucessores do trono de Numitor. Para se certificar de que isso nunca acontecesse, Amúlio forçou sua sobrinha a se tornar uma sacerdotisa virgem da deusa Vesta: uma intocada vestal. O plano, no entanto, não deu certo, pois Reia Sílvia ficou grávida. Ela alegava ter sido violada pelo próprio deus da guerra, Marte. Nesse ponto, Tito Lívio demonstra certo ceticismo, mas Mary Beard, classicista renomada, diz que alguns autores afirmavam com bastante convicção essa parte da lenda, narrando até mesmo que o próprio pênis ereto de Marte havia saído das chamas do fogo sagrado de Vesta para consumar o ato.[78]

    Reia Sílvia deu à luz dois meninos gêmeos, Rômulo e Remo, os quais foram imediatamente tomados da mãe, a mando de seu tio Amúlio, e enviados

---

[78] BEARD, M. op. cit. loc. cit.

para serem mortos no rio Tibre. Os lacaios de Amúlio, contudo, não tiveram coragem de afogar os bebês, abandonando-os dentro de uma cesta às margens do Tibre, que estava no seu período de cheia e tinha transbordado, deixando suas margens como que lençóis de água estagnada. Os lacaios acharam que o nível dessas águas já era suficiente para que as ordens de Amúlio fossem cumpridas sem que eles precisassem sujar mais ainda suas mãos, levando os bebês ao leito regular do rio, que estava praticamente inacessível.

Reia Sílvia como virgem vestal, alimentando o fogo sagrado de chamas eternas da deusa Vesta.

A cesta com os meninos começou a flutuar e foi parar em um local seco. Antes que a tragédia acontecesse e os meninos morressem, uma loba, ainda lactante depois de ter dado à luz seus filhotinhos, resgata os gêmeos. Ela os alimenta com seu leite e os lambe docilmente. Um pastor chamado Fáustulo, que estava passando no momento, viu a cena e imediatamente recolheu os bebês e os levou à sua casa para serem criados por ele e por sua esposa, Aca Larência. Alguns autores dizem que o pastor os encontrou embaixo de um pé de figo, a figueira ruminal, [79] um tipo de figueira selvagem, na entrada de uma caverna chamada Lupercal.

Os meninos cresceram até a adolescência tendo uma vida anônima e pastoril. Gostavam de caçar e, com o tempo, começaram a interceptar ladrões carregados de despojos, dividindo o que eles traziam entre os pastores. Isso começou a desagradar de tal forma os ladrões que eles se uniram e arquitetaram um plano para se livrarem dos dois jovens moços. Armaram uma emboscada, Rômulo conseguiu se desvencilhar dela, mas Remo acabou capturado e levado como prisioneiro de Amúlio. As acusações que pesaram sobre Remo foram de recrutar, com seu irmão, jovens para pilhar as terras de Numitor. Desse modo, levaram Remo até Numitor para ser punido. O avô dos meninos, todavia, reconheceu Remo.

Enquanto isso, Fáustulo acabou contando a verdade para Rômulo a respeito de seu sangue real. Sabendo de tudo, Rômulo com a ajuda de outros pastores acaba assassinando o rei e restituindo o trono a Numitor. Após restituir Alba Longa ao seu rei legítimo, os irmãos quiseram fundar uma cidade no local em que haviam sido abandonados, mas posteriormente foram criados. Eles, contudo, precisavam escolher qual seria o nome da cidade. Para resolver esse conflito não adiantava respeitar a vontade do mais velho, uma vez que eram gêmeos. Por isso, recorreram aos deuses. Remo recorreu aos augúrios do Monte Aventino, e Rômulo, aos do Monte Palatino. Remo avistou primeiro seis abutres, sinal dos deuses, mas logo depois Rômulo viu doze. O povo ficou indeciso se valia quem vira primeiro ou quem vira mais.

Os dois gêmeos começaram a discutir com tal violência que começaram a duelar um contra o outro. Para provocar Rômulo, Remo saltou de forma a ultrapassar os limites das muralhas de Rômulo. Tal provocação não ficou impune, pois Rômulo, decidido, assassinou seu irmão e pronunciou as seguintes palavras:

ASSIM ACONTECERÁ NO FUTURO A QUEM SALTAR SOBRE MINHAS MURALHAS!

Com isso, Rômulo se tornou o senhor absoluto e nomeou a cidade conforme seu próprio nome: Roma!

---

[79] Ruminal vem da deusa Rúmina, que presidia o aleitamento das crianças.

A morte de Remo: A fundação de Roma, Severino Baraldi, 1930. Revista Look and Learn nº 1006, 20 de janeiro de 1981

HÉRCULES

HERÓIS

IV

Jasão vestindo o velocino de ouro.
Michele Cortazzo, 1865.

JASÃO

Vale dizer que a próxima aventura ocorreu antes dos eventos da Guerra de Troia, e que os episódios mais marcantes envolvendo o herói Jasão e seus companheiros são os seguintes:

Muito tempo antes da expedição de Jasão, o Rei Atamante da Beócia se casou com uma ninfa das nuvens, Nefele, e, com ela, teve dois filhos, Frixo e Hele. Passado algum tempo, ele conheceu Ino, filha de Cadmo, apaixonou-se por ela e abandonou sua primeira esposa. Assim que Atamante se casou com Ino, ela começou a tramar a morte dos filhos do seu primeiro casamento.

Devido a uma grande seca, a comida estava escassa e o rei decidiu enviar um mensageiro a Delfos para descobrir o que ele deveria fazer para ter uma colheita mais próspera no ano seguinte. Ino, contudo, na expectativa de colocar seu plano em ação, subornou esse mensageiro, que chegou à corte com uma mensagem forjada. Essa mensagem dizia que os filhos do rei deveriam ser sacrificados para que a colheita fosse frutífera. Nefele não tardou a saber dos ardis de sua rival, mas pressentia que não seria capaz de salvar os filhos sozinha. Contudo, ela havia ganhado um carneiro mágico de Hermes (ela mesma sendo uma semideusa), e esse carneiro era filho de Poseidon, possuía couro e lã de ouro e tinha, além disso, propriedades especiais que poderiam salvar as crianças. Algumas versões apontam que o carneiro voava; outras dizem que ele nadava. Fosse como fosse, Nefele faz o carneiro levar as crianças para longe.

Durante a viagem, seja no mito que apresenta o carneiro voador ou naquele que indica que ele nadava, ocorreu que a menina, Hele, se soltou do pelo do animal e caiu durante o voo, ou foi engolida pelas ondas, tão logo eles partiram da região onde hoje é a Turquia, no estreito de Dardanelos. Por causa desse infortúnio, o lugar ficou conhecido como Helesponto, "o mar de Hele". Assim, Frixo continuou sua viagem sozinho para muito longe, até chegar à Cólquida.

Frixo e Hele. *Gods and Flying Heroes of Ancient Greece*, 1960.

Lá, ele foi muito bem recebido pelo rei Eetes — pelo menos no começo. Como sinal de gratidão pela hospitalidade, o jovem rapaz presentou Eetes com o carneiro, que depois viria a ser sacrificado a Zeus. A lã, no entanto, foi retirada para preservar seus incríveis poderes de cura e ficou sob a tutela do rei. Para impedir que ela fosse roubada, Eetes pendurou-a em uma árvore protegida por um dragão — ou uma serpente, de acordo com outras fontes — que nunca dormia. Essa lã é o famoso velocino (ou velo) de ouro que Jasão tentará recuperar em sua expedição com os Argonautas.

Não muito longe da cidade do rei Atamante, em Iolco, uma outra tragédia familiar ocorre a partir da disputa entre dois irmãos — (por parte de mãe), Pélias e Éson — pelo trono. Éson era o verdadeiro herdeiro, pois Pélias era filho de Poseidon; mesmo assim, Pélias aprisionou o irmão e tomou o trono para si. Temendo o castigo das Erínias, Pélias escolhe não assassinar seu meio-irmão, mas planeja eliminar seus descendentes para evitar que eles reivindiquem seus direitos reais no futuro. A esposa de Éson estava grávida quando o cunhado iniciou o massacre contra os possíveis herdeiros, e quando o bebê, que era Jasão, nasceu, ela mandou-o para longe de Iolco em sigilo, para a caverna do centauro Quíron (que também tutelou e educou Hércules, Peleu, Aquiles, Pátroclo e até Eneias).

Pélias sabia que estava no trono de forma ilegítima e, por isso, procurou o oráculo para saber quais eram suas chances de permanecer no comando de Iolco. O oráculo previu que ele ainda seria rei por muito tempo, mas que sua ruína teria início com a chegada de um estrangeiro que viria até a cidade com um único pé calçado (o outro estaria descalço). O que Pélias não sabia era que isso fazia parte dos ardis de Hera: a deusa desejava vingar-se dele, pois ele a havia ofendido.

O tempo passou. Quando Jasão completou vinte anos, ele partiu para Iolco a fim de exigir o cargo que lhe pertencia. Durante a viagem, ele auxiliou uma velha senhora a cruzar um rio de forte correnteza; foi aí que ele perdeu uma de suas sandálias. Chegando a Iolco, ele se deparou com a cidade em festa para uma homenagem a Poseidon, mas não hesitou em procurar o rei para explicar o motivo de sua visita. Logo que ele se apresenta, calçando apenas uma sandália, Pélias se lembra do antigo oráculo que recebera. O rei, no entanto, era muito astuto: ele concordou em devolver o trono a Jasão, dizendo que só estava ali porque não sabia da existência de um herdeiro. Porém, ele exigiu que o sobrinho provasse merecer o poder sobre a cidade e o desafiou a ir até a Cólquida buscar o velocino de ouro; desse modo, eles obteriam as propriedades fantásticas do couro do animal.

Jasão aceitou o desafio e dedicou-se a reunir os melhores homens de toda a Grécia, a elite dos guerreiros, para se juntar a ele na expedição. Depois, ele convidou Argos, filho de Frixo — aquele da história com Hele —, o famoso construtor naval, para construir a embarcação e batizou-a de Argo a partir do nome de seu construtor. Hefesto e Atena também ajudaram, e a tripulação toda tinha a proteção de Hera. Assim, cinquenta argonautas embarcaram para o mar Negro, em direção à Cólquida.

A primeira aventura deu-se em Lemnos, uma ilha povoada somente por mulheres. Assim era porque essas mulheres um dia deixaram de cultuar Afrodite, despertando a ira da deusa. Como castigo, Afrodite fez com que as mulheres exalassem um odor terrível e que, portanto, seus maridos se afastassem delas. Desse modo, os homens foram se consolar com as escravas que obtiveram na Trácia, região vizinha, abandonando suas esposas, que, enfurecidas, aniquilaram todos: maridos e amantes. O único a ser poupado foi o rei, pois sua filha ajudou-o a escapar. Depois de um tempo, as mulheres perceberam a gravidade da ofensa que cometeram contra Afrodite e buscaram recuperar as graças da deusa, instituindo um festival para honrá-la.

Ignorantes da história da ilha, os argonautas dela se aproximaram na tentativa de obter água fresca. Ao desembarcarem do navio, eles perceberam um brilho de armas por trás dos arbustos, por isso, inseguros, decidiram não se aproximar muito. As mulheres também notaram a chegada da nau e de seus tripulantes, que a princípio pareciam inofensivos; não obstante, elas não sabiam se deveriam atacá-los ou não. No momento da chegada dos argonautas, a então rainha da ilha, Hipsípile, não estava presente, portanto, uma mensageira foi até ela dar a notícia sobre os estrangeiros. Ao lado da rainha estava uma ama, já anciã, que a aconselhou a ser benevolente com os homens. Sua justificativa era a seguinte: apesar de a tribo não saber se deveria confiar nos homens, logo as mulheres precisariam se casar novamente, pois, do contrário, todas envelheceriam sem prole e sua comunidade acabaria. Hipsípile acatou o sábio conselho da ama e ordenou que as mulheres acenassem para os homens em sinal de paz, para que eles se aproximassem. Ambos os lados se entusiasmaram com esse encontro: Jasão se uniu à rainha, sendo ele o melhor e o mais belo dos homens, e os demais às outras mulheres. Eles ficaram na ilha por um ano e depois partiram.

Na viagem estavam também Héracles e seu companheiro, Hilas. Héracles e Jasão competiam com frequência para ver quem conseguia remar por mais tempo. Hércules uma vez remou com tanta força que quebrou o seu remo, então ele pediu para que o navio atracasse em uma ilha para que ele pudesse pegar um tronco e fazer um novo remo. Foi aí que eles aportaram na Mísia. Enquanto Héracles ocupava-se do remo, Hilas saiu para pegar água em uma fonte. Dizem que quando ele se abaixou para pegar água, as ninfas que ali habitavam, as Náiades, o puxaram para o fundo da fonte — não para matá-lo, mas para sequestrá-lo por sua beleza exuberante. Dizem que Héracles não suportou a ausência do companheiro e deixou a expedição.

A próxima parada dos argonautas foi em Salmidesso, na Trácia oriental, onde reinava Fineu. Jasão acreditava que esse rei poderia dizer quais perigos eles encontrariam pela frente e, dessa forma, seria capaz de auxiliá-los. Quando os argonautas chegaram lá, encontraram o rei em apuros: ele estava cego, tendo sido castigado pelos deuses, pois profetizava o futuro com exatidão, e era vigiado por duas harpias. Essas criaturas não o deixavam comer: quando ele enchia um prato, logo elas vinham e comiam toda a refeição, depositando seus excrementos no lugar.

Ao chegar, Jasão interrogou o rei sobre como conseguir o velocino, mas Fineu prometeu dar-lhe a resposta apenas se ele pudesse afastar as harpias.

Hilas e as ninfas. John William Waterhouse, 1896.

Então Cálais e Zetes, alados filhos do vento Bóreas que estavam na expedição, seguindo as ordens de Jasão, começaram a perseguir as criaturas maléficas, com a intenção de matá-las. Nesse momento Íris, a mensageira dos deuses, intervém, prometendo que as harpias não iriam mais castigar Fineu se Jasão as poupasse e, então, o acordo é firmado.

    Cumprindo sua promessa, o rei diz a Jasão que o maior perigo que a expedição enfrentaria seriam as simplégades: duas rochas enormes, localizadas no mar Negro, que se chocavam constantemente e impediam a passagem de qualquer nau. Para atravessá-las, Fineu sugeriu que os homens soltassem um pombo bem na entrada do desfiladeiro; se a ave conseguisse atravessá-la, então os homens poderiam avançar com a Argo, pois, quando a ave passasse pelas rochas, elas se afastariam de novo e os argonautas teriam tempo para atravessá-las — contanto que remassem muito rápido. Assim fizeram e seguiram viagem.

    Quando eles chegaram à Cólquida, o rei Eetes os recebeu muito bem. Jasão, contudo, informou sem rodeios que eles foram até sua corte para recuperar o velocino de ouro; essa informação enfureceu Eetes, encorajando-o a encarregar Jasão das mais impossíveis tarefas para conquistar o velo: Jasão deveria atrelar dois touros que exalavam fogo, arar com eles um enorme campo de Ares, semeá-lo com os dentes de uma serpente e ainda lutar contra os guerreiros que brotariam destas sementes. Felizmente, Jasão contava com a proteção de Atena e de Hera. Essa última pediu para Afrodite fazer com que a princesa Medeia, se apaixonasse por Jasão e, assim, ajudasse o herói nas tarefas, pois ela era uma hábil feiticeira (aliás, ela era sobrinha de Circe). Então, assim que Medeia foi flechada por Eros, ela se entregou à paixão arrebatadora por Jasão.

Cálais e Zetes livram Fineu das Harpias.

Quando ele a procurou pedindo ajuda para completar as provas, ela impôs que se casasse com ela e a levasse consigo para a Grécia, uma vez que, ao assisti-lo, ela não seria mais aceita em sua terra. Jasão concordou com os termos de Medeia e lhe jurou fidelidade diante de todos os deuses. Portanto, Medeia preparou uma poção para fazer o dragão que guardava o velocino adormecer e, desse modo, facilitar o trabalho de Jasão em recuperar o item mágico. Algumas versões do mito narram que além da magia de Medeia, Jasão contou com uma canção cantada por Orfeu, um músico e poeta, e a qual foi acompanhada pela melodia de sua lira mágica:

> *Mas Medeia chamou (o dragão) gentilmente, e ele esticou o seu pescoço comprido e malhado, e lambeu-lhe a mão, e olhou para o rosto dela, como que para pedir comida. Depois Medeia fez um sinal para Orfeu, que começou a sua canção mágica. E à medida que cantava, a floresta voltava a ficar calma, e as folhas em cada árvore ficaram paradas; e a cabeça do dragão afundou-se, e os seus anéis dourados afrouxaram-se, e os seus olhos brilhantes fecharam-se preguiçosamente, até respirar tão suavemente como uma criança, enquanto Orfeu invocava o agradável sono, aquele que dá paz aos homens, aos animais, e às ondas.* [80]

Medeia, o dragão, Jasão e Orfeu. William Russell Flint, 1912.

---

[80] KINGSLEY, C. *The Heroes*: or the Greek Fairy Tales for My Children. Nova Iorque: R. H. Russell Publisher, 1901. p. 104.

Em seguida, tendo obtido o que foram buscar, os Argonautas não tardaram a partir da Cólquida, bem no meio da noite, levando Medeia e também seu irmão, Absirto, com eles. Quando o rei percebeu que os Argonautas tinham partido com o velo e que sua filha também não estava mais lá, ele reuniu seus homens para irem em busca dos fugitivos. Medeia sabia que seu pai logo enviaria seus comandantes atrás da Argo, então ela bolou um terrível plano para retardá-los: depois de assassinar o seu irmão, ela o esquartejou e jogou seus restos no mar. O intuito dessa abominável ação era fazer com que as naus que estivessem atrás deles tentassem recolher os restos de Absirto e que, para isso, fossem parando no caminho. Algumas versões dizem que essa foi a real intenção de Medeia em levar o irmão para a expedição, mas outras dizem que ele seguiu a irmã voluntariamente. Desse modo, Medeia conseguiu garantir uma boa distância entre eles e as naus do rei, fugindo com êxito.

Como Medeia cometeu um crime contra o irmão, ela despertou a ira das Erínias — divindades que punem crimes contra consanguíneos — e, por isso, recebeu, através da cabeça do navio (que era, na verdade, a voz de Zeus), um aviso de que ela precisava se purificar. Sendo assim, os Argonautas navegaram até a ilha da feiticeira Circe, tia de Medeia, para obter tal purificação. Depois disso, eles continuaram a viagem, mas não demoram a chegar à ilha das sirenes (assim como Odisseu, uma geração depois, em seu retorno de Troia). Para evitá-las, Orfeu, um dos tripulantes, pegou a sua lira, foi para a proa do navio e tocou de tal maneira que as sirenes não conseguiram cantar... elas apenas escutaram a música que saía da lira do poeta.

Em seguida, eles chegaram à terra dos feácios (também visitada por Odisseu anos depois). O rei Alcínoo e a rainha Arete se afeiçoam a Jasão e a Medeia, recebendo-os muito bem. Porém, pouco tempo depois da chegada deles, os perseguidores enviados pelo rei Eetes chegaram em busca dos traidores e exigiram que o rei fizesse Jasão devolver o velocino. Como era um rei muito sábio, Alcínoo não revelou sua decisão logo de imediato, a não ser para sua esposa, dizendo-lhe que entregaria Medeia de volta a seu povo caso ela e Jasão ainda não tivessem se casado; do contrário, ele deixaria o casal seguir em paz. Arete, ao ouvir a decisão do marido, apressou-se para avisar o casal, e eles logo preparam uma cerimônia de casamento urgente no meio da noite. Assim, quando os comandantes da Cólquida retornaram pela manhã, Alcínoo anunciou que não faria nada contra Jasão ou Medeia, visto que eles estavam casados. Assim, os recém-casados e os Argonautas navegaram de volta para Iolco.

Jasão e Medeia. John William Waterhouse, 1907.

Ao chegarem lá, Jasão foi se encontrar com o tio para lhe entregar o velo de ouro. Pélias, não obstante, recusou-se a passar o trono ao sobrinho, e Jasão veio a saber dos eventos que sucederam a sua partida para a Cólquida: na ausência de Jasão, Pélias havia coagido seu irmão, pai de Jasão, a se suicidar; diante disso, sua cunhada, mãe de Jasão, lançou uma maldição contra ele, Pélias, e depois se enforcou. Ou seja, Jasão estava órfão e desamparado, mas ainda podia contar com a esposa, pois para honrar as injustiças cometidas contra o marido, Medeia elaborou uma vingança contra Pélias.

A feiticeira preencheu uma estatueta oca de Ártemis com as suas poções e deu a ela uma aparência terrível. Depois, usando algumas substâncias, ela mesma se envelheceu. Como uma anciã, ela apareceu na cidade portando a estátua de Ártemis e disse ao povo que a deusa desejava ser cultuada naquela região. O povo, assustado, direcionou-a ao palácio para que ela falasse diretamente com o rei. Chegando lá, ela criou uma narrativa para ludibriar Pélias, alegando que ele era um dos escolhidos de Ártemis e que a deusa até lhe devolveria a sua juventude. No entanto, visto que ele estava desconfiado, Medeia solicitou que alguém trouxesse um pouco de água pura; quando essa água chegou, ela se lavou e, de repente, assumiu a sua forma verdadeira: bela e jovem. Maravilhado, Pélias acreditou que a deusa faria o mesmo com ele. Assim, ordenou que suas filhas acolhessem Medeia, fornecendo-lhe tudo o que ela quisesse e precisasse.

Essa ordem fez com que Medeia tivesse a total obediência das moças, então a feiticeira conseguiu persuadi-las a assassinarem o próprio pai. Na noite seguinte, ela colocou uma forte droga na bebida do rei e, enquanto ele dormia, suas filhas o atacaram com facas, dilacerando-o. Depois, elas colocaram o corpo em um caldeirão e o cozinharam. Vendo a fumaça que saía desse caldeirão, que era uma espécie de sinal entre Jasão e Medeia, Jasão e seus aliados invadiram o palácio. A essa altura, esperar-se-ia que Jasão assumisse o trono, mas ele não contava que Pélias tivesse um filho, Acasto, que baniu ambos, Jasão e Medeia, da corte e se tornou rei de Iolco. E assim terminou a expedição dos Argonautas, mas não a tragédia de Jasão e Medeia, pois, ao serem obrigados a fugir, acabaram em Corinto, onde Jasão trocou Medeia por uma esposa mais jovem, a princesa Glauce — ou Creusa — filha do rei de Corinto. Como vingança, Medeia mata os próprios filhos que teve com Jasão, pois um dos piores castigos a um homem na Grécia Antiga seria perder seus herdeiros homens, ainda mais de uma forma tão brutal.

Jasão e o dragão.
John Boydell, 1765.

Hércules na Pira. Guido Reni, c. 1617.

HÉRACLES HÉRCULES

O NASCIMENTO

Alcmena era filha de Eléctrion, o rei de Micenas, que, por sua vez, era filho de Perseu e Andrômeda. Além de Alcmena, Eléctrion tinha outros filhos homens, mas quase todos eles vieram a perecer durante um combate contra a comunidade vizinha, que havia roubado todo o gado de Eléctrion. O único filho a sobreviver foi o mais novo, que era ainda uma criança e que, portanto, não havia participado da disputa. Mais tarde, o gado do rei foi recuperado por Anfitrião, que, por sua vez, tinha interesse em desposar Alcmena.

Depois que Anfitrião lhe restituiu o gado, Eléctrion permitiu o casamento de sua filha com o seu benfeitor, mas antes que os noivos pudessem celebrar suas núpcias, o rei disse que partiria em uma missão para vingar a morte de seus filhos, deixando Anfitrião no comando do reino. Antes de partir, no entanto, Eléctrion fez o genro prometer que não consumaria o casamento até que ele retornasse, promessa esta que foi aceita e cumprida por Anfitrião. Ainda antes de partir, enquanto ambos estavam nos pastos cuidando do gado restituído, uma das vacas atacou Anfitrião; para se defender, ele lançou seu porrete contra o animal, mas a arma bateu no chifre da vaca e ricocheteou, acertando e matando Eléctrion acidentalmente.

O irmão de Eléctrion, que cobiçava o trono, alegou que Anfitrião havia planejado a morte do sogro desde o começo e, como consequência, exilou Anfitrião e Alcmena em Tebas. Não obstante, Alcmena ainda insistia na promessa que fora feita a seu pai e afirmava que não se entregaria a Anfitrião até que ele mesmo vingasse a morte dos seus irmãos, conforme era a vontade de Eléctrion. Quando, portanto, Anfitrião partiu para sua expedição, Zeus viu a oportunidade de unir-se a Alcmena e com ela gerar um novo herdeiro que, ele sabia, seria o maior herói de toda a Grécia.

Como a mulher cumpria sua promessa, Zeus teve de assumir a aparência de Anfitrião para conquistá-la. Assim, um dia, Zeus adentrou a residência de Alcmena passando-se por seu marido e contando todos os detalhes da expedição e da vingança. Zeus havia, ainda, pedido para Hélio se apagar, fazendo com que por três dias tudo fosse noite, e solicitado que o Sono tomasse todo o povo de Tebas, para que eles não suspeitassem de nada. Tudo isso Zeus havia planejado para conceber o filho da maneira mais cuidadosa possível.

No dia seguinte à união de Alcmena e Zeus, o real Anfitrião retornou de sua missão e foi logo contando à esposa tudo o que havia acontecido. Quando Alcmena percebeu que havia algo estranho no comportamento do esposo, que parecia não se lembrar de nada sobre a noite anterior, ela lembrou-o de que ele já havia contado a ela todos os fatos e que eles haviam até mesmo dormido juntos. Bastante atordoado, Anfitrião decidiu consultar o velho adivinho Tirésias, que o alertou da presença de um deus em todos os eventos que o homem lhe reportara. Anfitrião não acreditou no adivinho e construiu uma pira para queimar a esposa, julgando que ela o havia traído voluntariamente. Entretanto, assim que a pira foi acesa, Zeus iniciou uma chuva forte e liberou seus trovões como aviso de sua presença. Assim, Alcmena foi poupada.

Zeus, por outro lado, estava muito ansioso com o nascimento de seu novo filho e, por esta razão, depois de nove meses, anunciou para todo o Olimpo que teria um filho nascido de uma mortal e que esse filho seria rei de Micenas. Conforme esperado, Hera nada se entusiasmou com essa notícia e logo bolou um plano para tentar eliminar o novo semideus. Ela fez Zeus garantir que o primeiro bebê que nascesse naquele dia, daquela linhagem, seria o rei e, como Zeus concordou, ela então tornou o parto de Alcmena extremamente difícil, atrasando-o por sete dias. Ao mesmo tempo, ela acelerou a gravidez de uma outra mulher, Nicipe, da cidade de Tirinto, em Micenas, que estava grávida de um bebê da mesma linhagem de Héracles, para que essa criança nascesse antes do filho de Zeus.

Depois de dias em trabalho de parto, Alcmena recorreu à deusa Ilítia, mas Hera só permitiu que a outra deusa interferisse no parto para atrasá-lo ainda mais. Então Ilítia desceu do Olimpo e foi até a casa de Alcmena, sentou-se atrás da porta e manteve seus braços e pernas cruzados, sussurrando feitiços e imprecações. No entanto, junto de Alcmena estava uma leal amiga para auxiliá-la, e essa moça, percebendo a presença e as intenções de Ilítia, abriu as portas dos aposentos de Alcmena e gritou que o bebê havia nascido. Por causa do susto, Ilítia se levantou, desatando os nós de suas mãos e pernas, e então Héracles nasceu. Com ele, nasceu também um bebê mortal chamado Íficles, fruto da união de Alcmena com Anfitrião, uma noite depois de sua união com Zeus. O outro bebê da mesma linhagem de Micenas e que nasceu prematuro era Euristeu.

Hera ficou extasiada com sua vitória e, assim como Zeus, gabou-se de seus feitos para todos no Olimpo. Enraivecido, Zeus propôs a Hera uma solução: se Héracles realizasse doze árduos trabalhos e se deles saísse vitorioso, Hera teria que conceder a ele a imortalidade. Esses doze trabalhos ainda seriam cumpridos por Héracles a mando de Euristeu, mas elaborados por Hera.

Curiosamente, o próprio nome de Héracles carrega seu fardo: em grego, Héracles significa "a glória de Hera" (*Hera + kléos*). Quando Héracles nasceu, Anfitrião nomeou-o Alcides porque ele era um descendente de Alceu. O herói será chamado de Alcides até consultar um oráculo que o aconselhará a mudar seu nome para tentar apaziguar a cólera da deusa Hera.

INFÂNCIA E JUVENTUDE

Quando Héracles era apenas um bebê, Hera tentou outra artimanha para se livrar do herói: ela colocou duas serpentes no berço onde ele dormia com seu irmão Íficles. Segundo algumas versões, Zeus fez com que o quarto se iluminasse, despertando os bebês. O choro assustado de Íficles acordou Alcmena e Anfitrião, mas quando eles chegaram ao quarto das crianças, Héracles já tinha estrangulado as cobras. Dizem que, desse modo, Anfitrião descobriu qual dos meninos era seu verdadeiro filho.

Na adolescência, Héracles aprendeu a conduzir cavalos com Anfitrião, e foi introduzido, por outros tutores, à esgrima, à infantaria, à cavalaria, ao manejo do arco, à literatura e à música (canto e lira). Como ainda era muito jovem nessa época, Héracles não tinha consciência do tamanho de sua força. Então, um dia, depois de ser punido por seu instrutor de música, Héracles golpeia-o com a sua lira, mas a força do golpe é tamanha que o professor morre.

Depois desse ocorrido, Anfitrião temia a violência de Héracles e achou que seria mais prudente colocá-lo em um lugar mais afastado do povo. Desse modo, o jovem herói foi enviado à fazenda de gado de Anfitrião, onde trabalhou como pastor até os dezoito anos. Por volta dessa época, um leão, chamado leão de Citéron, estava dizimando o gado de Anfitrião e também da propriedade vizinha, que era do rei Téspio. Por essa razão, Héracles abandonou seu cargo de pastor e se ofereceu para matar o leão, hospedando-se no palácio de Téspio.

Téspio, por sua vez, buscava evitar que suas cinquenta filhas se envolvessem em más alianças amorosas e ofereceu a mais velha delas a Héracles. Contudo, Téspio era ambicioso e desejava gerar descentes da estirpe divina de Zeus, portanto, noite após noite, ele mandava uma filha diferente ao leito de Héracles. Durante os cinquenta dias que ficou hospedado no palácio do rei, Héracles compartilhou seu leito com todas as filhas de Téspio, que teve, no total, cinquenta e um netos (havia gêmeos), e essa prole de Héracles ficou conhecida como os *heráclidas* ou os *tespíadas*.

Após a passagem pelo território de Téspio, Héracles foi a Tebas, onde começou a conquistar a sua reputação como herói. Ao chegar à cidade, Héracles ficou sabendo que os tebanos tinham que pagar um tributo aos mínios, da cidade de Orcômeno, e que o rei de Tebas, Creonte, apesar de contrariado, não conseguia trazer um fim à situação. Desse modo, Héracles foi ter com os mínios e derrotou-os, livrando Tebas do encargo. Creonte ficou maravilhado com a proeza do herói e deu sua filha mais velha, Mégara, em casamento para Héracles.

Eles viveram juntos por muitos anos e tiveram três filhos, até que, um dia, Hera resolveu atacar novamente. Ela lançou uma loucura sobre Héracles, fazendo o herói confundir seus filhos e a esposa com seus inimigos e assassiná-los. Héracles teve sua loucura refreada por Atena e, quando ele se deu conta do que havia feito, planejou tirar a própria vida. Teseu, contudo, aconselhou-o a consultar o oráculo antes de qualquer decisão precipitada. Lá, então, é revelado a Héracles que, para ele se livrar da mácula dos assassinatos e se tornar imortal, ele deveria se submeter ao rei Euristeu e cumprir as tarefas que ele lhe atribuísse. Isso muito desagradou o herói, pois ele considerava Euristeu um homem muito inferior a ele; no entanto, agiu conforme os desígnios do oráculo para não ofender os deuses.[81]

---

[81]   *Biblioteca* (2.4.8-12); GRAVES (2018, vol. 2, pp. 120-139).

Hércules infante estrangulando serpentes.
Pompeo Batoni, 1743.

OS DOZE TRABALHOS

I
O LEÃO DE NEMEIA

Hércules lutando com o Leão de Nemeia.
Peter Paul Rubens, c. 1615.

Para o seu primeiro trabalho, Héracles teve de levar a Euristeu a pele do leão de Nemeia.

Tendo chegado em Nemeia e encontrado a fera, Héracles atacou-a com suas flechas, mas logo se deu conta de que o couro do animal era inviolável. Em sua segunda tentativa, o herói avançou contra o leão, perseguindo-o com um porrete. Isso fez com que a fera se escondesse na caverna em que habitava, caverna essa que tinha duas entradas, então Héracles fechou uma delas e entrou pela outra, e, em seguida, lançou seus braços ao redor do pescoço do leão e segurou-o até sufocá-lo.

Héracles levou o leão morto até Euristeu para comprovar a conclusão da prova, mas o rei era tão covarde que não pôde nem mesmo olhar para o animal que já estava morto. Depois disso, Euristeu ordenou que Héracles não lhe trouxesse mais nenhuma de suas presas pessoalmente, mas que as deixasse nos portões da cidade.

Mais tarde, Héracles esfolou o couro do leão com as próprias garras do animal e passou a vesti-lo como um manto, ou até como uma armadura, aonde quer que fosse e, por isso, a imagem do herói com a pele do leão permaneceu viva no mito, na iconografia e no nosso imaginário.

II
A HIDRA DE LERNA

Hércules matando a Hidra de Lerna.
Guido Reni, c. 1620.

A próxima missão exigia que Héracles matasse a Hidra de Lerna, um monstro que devastava as plantações e dizimava os rebanhos. Ela era um monstro enorme de nove cabeças, sendo oito delas mortais e uma, a principal, imortal.

Com a ajuda de seu sobrinho Iolau, Héracles chegou a Lerna e encontrou o monstro em uma colina, onde ficava seu covil. Para atrair a atenção da Hidra, Héracles se aproximou da entrada do covil com tochas e, assim que ela saiu, agarrou-a com força, mas a criatura enrolou uma de suas pernas no herói.

Héracles tentou decepar as cabeças da Hidra, mas isso só o atrasou, pois, assim que uma cabeça era cortada, outras duas nasciam em seu lugar. Foi então que Iolau pegou uma tocha para cauterizar as cabeças que eram arrancadas, prevenindo o surgimento de novas. Desse modo, restou apenas a cabeça imortal, que logo foi decepada também. Depois, Héracles enterrou esse último membro, colocou uma enorme rocha sobre o local e voltou até o corpo da Hidra para banhar suas flechas no sangue do monstro, que era fatalmente venenoso. Lembremos que é por uma dessas flechas que Páris cairá em Troia.

III
A CORÇA DE CERÍNIA

Hércules derrotando a corça dos chifres de ouro.
Adolf Schmidt, séc. XIX.

Em seu terceiro trabalho, Héracles deveria capturar a corsa de Cerínia e levá-la para Micenas. Esse animal tinha cascos de bronze e chifres de ouro, vivia em Énoe e era sagrado para a deusa Ártemis. Conta-se que, uma vez, Ártemis ganhou cinco corças de uma ninfa; quatro delas puxavam o carro de Ártemis e a quinta, que é esta em questão, tornou-se como que um animal de estimação para a deusa.

Héracles, entretanto, não planejava ferir ou matar a corça, pois sabia que se o fizesse, estaria despertando a ira de Ártemis. Por isso, o herói perseguiu-a por um ano inteiro até que ela estivesse cansada demais para continuar. Depois de todo esse tempo, a corça estava esgotada e se abrigou em um monte chamado Artemísio. Quando ela desceu o monte, Héracles acertou uma flecha em suas patas dianteiras, perfurando-as entre os ossos e os tendões, sem derramar uma gota de sangue. Assim sendo, Héracles colocou o animal sobre os seus ombros e partiu para seu destino.

No caminho, ele deparou-se com Ártemis e Apolo. A deusa estava furiosa e o acusava de tentar matar o seu animal sagrado. Héracles, então, explicou à deusa que ele só havia tomado o animal por necessidade e fez toda a culpa de seu ato cair sobre Euristeu. Desse modo, ele conseguiu aplacar a ira da deusa, que permitiu que ele levasse a corça viva até Micenas.

IV
O JAVALI DE ERIMANTO

Hércules aterrorizando o rei Euristeu com o javali de Erimanto.
Anônimo da Escola Italiana, séc. XVII.

Seu quarto trabalho também consistia em trazer um animal vivo, e este era um javali muito feroz que assolava a região costeira, repleta de ciprestes, do monte Erimanto.

No caminho para Erimanto, Héracles fez uma parada na casa de Folo, que era um outro centauro amigável além de Quíron. Uma noite, quando ceava com o centauro, Héracles pediu um pouco de vinho para acompanhar o jantar, e Folo respondeu-lhe que tinha um único barril dado a ele pelo próprio Dioniso. No entanto, o centauro alerta o herói de que o cheiro do vinho provavelmente atrairia os outros centauros, e que eles eram perigosos.

De fato, atraídos pelo vinho, os centauros vão até a casa de Folo e causam a maior confusão, apropriando-se do lugar e roubando as comidas e a bebida da ceia. Folo se abstém do conflito, mas Héracles enfrenta os centauros, que estavam armados com troncos e tições. Alguns centauros perecem, outros fogem, e Folo vai recolher os cadáveres de seus companheiros. Em um dos corpos, ele encontra uma das flechas de Héracles cravada no peito do monstro. Essas flechas já estavam envenenadas, mas Folo não sabia. Então, ele pega a flecha na mão, mas, sem querer, arranha sua pele; o veneno logo se espalha por seu corpo e ele não resiste. Após enterrar Folo, Héracles segue sua viagem para Erimanto.

A rota passava pela residência de Quíron, e Héracles decidiu conversar com o centauro em busca de um conselho para capturar o javali. Quíron sugeriu que a melhor maneira de cumprir a tarefa seria no inverno, quando o monte estaria coberto de neve e o javali não se moveria com a mesma facilidade, pois a grossa camada de neve atrasaria seus passos.

E assim Héracles fez, mas considerando que o animal tinha força e tamanho sobrenaturais, levá-lo com vida foi uma árdua empreitada. Héracles encurralou-o depois que ele tinha saído de um matagal e conduziu-o até uma área onde havia um grande volume de neve. Lá, saltou sobre o dorso do animal e amarrou-o com correntes para levá-lo até Euristeu.

V
OS ESTÁBULOS DE ÁUGIAS

Hércules desviando o curso do rio Alfeu.
Francisco de Zurbarán, 1634.

No quinto trabalho, o desafio de Héracles era limpar os estábulos imundos de Áugias, rei da Élida.

Áugias era o homem mais rico da Grécia em rebanhos, pois seus animais eram bastante férteis e também imunes a pestes e doenças. Ele tinha trezentos touros negros com patas brancas e duzentos touros vermelhos, além de doze touros prateados, que eram oferecidos a Hélio, que muitos acreditavam ser seu pai. Devido à grande quantidade de animais, os estábulos já estavam sem limpeza há anos e, embora o fedor e a sujeira não afetassem o rebanho, todo o Peloponeso sofria com a imundice que emanava dos estábulos.

Sem revelar a Áugias a verdadeira razão pela qual estava ali em seu reino, Héracles dispôs-se a limpar todos os estábulos em um único dia se Áugias lhe desse um décimo de seu gado. O rei duvidou da capacidade e da disposição do herói, mas firmou o pacto. Assim, com a ajuda de Iolau, Héracles quebrou as paredes dos estábulos em dois lugares, abrindo espaço, e, em seguida, desviou o curso de dois rios que por ali passavam, Alfeu e Peneu. A forte correnteza das águas invadiu os estábulos, lavando-os por completo enquanto arrastava todo o esterco. Assim Héracles cumpriu mais uma tarefa, mas, dessa vez, sem grandes esforços.

Não obstante, quando Áugias soube que Héracles havia realizado tal proeza a mando de Euristeu, recusou cumprir sua parte do acordo, alegando que ele nunca prometera recompensa alguma. Dessa forma, o caso foi levado a um tribunal, mas Fileu, que era filho de Áugias, testemunhou a favor de Héracles e contou a verdade aos juízes. Diante disso, Áugias teve um acesso de raiva e expulsou ambos os jovens da Élida.

VI
AS AVES DE ESTÍNFALO

Na cidade de Estínfalo, na Arcádia, havia um lago que levava o mesmo nome da cidade, localizado no meio de uma densa floresta. Lá, diversas aves encontraram refúgio contra seus predadores e começaram a se reproduzir. Dizem que essas aves eram consagradas a Ares, que eram antropófagas e que tinham bico, asas e garras de bronze. Vez ou outra, as aves saíam da região do lago para caçar homens e animais na cidade, e, enquanto voavam, despejavam seus excrementos sobre as colheitas, arruinando-as.

A sexta tarefa de Héracles era justamente afugentar essas aves, mas quando ele chegou até o lago Estínfalo, percebeu que não cumpriria a missão apenas com as suas flechas, pois as aves eram muito numerosas. Enquanto ele deliberava, Atena apareceu diante dele e lhe entregou um par de castanholas de bronze feitas por Hefesto.

Assim que Héracles começou a tocar o instrumento, as aves bateram em retirada, aterrorizadas pelo ruído insuportável que as castanholas emitiam.

Hércules e as aves de Estínfalo.
Albrecht Dürer, 1500.

VII
O TOURO DE CRETA

Hércules e o Touro de Creta.
Émile Friant, 1879.

Há discussões sobre a origem do touro de Creta: algumas fontes dizem que ele era o touro que teria levado Europa até Creta, seguindo as ordens de Zeus; outros, que ele era o touro enviado a Minos por Poseidon e que depois gerou o Minotauro com Pasífae. Fosse como fosse, o touro arrasava os campos e os pomares de Creta.

Quando Héracles chegou a Creta, dirigiu-se até o palácio de Minos, buscando qualquer ajuda ou conselho que pudesse receber do rei para domar o animal. Minos, por outro lado, não estava disposto a ajudar Héracles, e mandou o herói fazer o trabalho sozinho.

Depois de uma longa luta, Héracles conseguiu levar a fera até Micenas. Euristeu libertou-o após tê-lo oferecido a Hera, e o touro vagou por Esparta e pela Arcádia, até chegar a Maratona, na Ática, onde começou a molestar os habitantes da região. Foi Teseu quem o abateu.

VIII
AS ÉGUAS DE DIOMEDES

Diomedes, rei da Trácia, morto por Hércules e devorado pelas suas próprias éguas.
Jean-Baptiste Marie Pierre, 1752.

O oitavo trabalho de Héracles consistiu na captura das éguas de Diomedes, rei da Trácia, filho de Ares e Cirene. Essas éguas eram presas com correntes de ferro e se alimentavam dos hóspedes de Diomedes.

Héracles reuniu alguns voluntários para o acompanhar até a Trácia e, assim que chegou ao seu destino, o herói dominou os guardas que vigiavam os estábulos e conduziu as éguas para o litoral. No entanto, vieram ao seu encontro os bístones, belicosos súditos de Diomedes, e atacaram-no. Então Héracles deixou as éguas sob tutela de Abdero — um dos voluntários, filho de Hermes e, dizem, um dos amantes de Héracles — e enfrentou os inimigos, matando alguns e pondo em fuga outros. Durante a batalha, Hércules também matou Diomedes, e Abdero foi dilacerado por um dos animais. Para honrar o companheiro, Héracles fundou a cidade de Abdera, onde o rapaz foi enterrado.

Em seguida, Héracles conseguiu subjugar as éguas, pois elas haviam se alimentado dos homens que caíram durante a luta e, como estavam muito saciadas, ficaram mansas. Héracles levou-as até Euristeu, mas o rei logo dispensou os animais, que foram devorados por feras quando alcançaram uma montanha chamada Olimpo.

IX
O CINTURÃO DE HIPÓLITA

Hércules obtendo o cinturão de Hipólita.
Nikolaus Knüpfer, séc. XVII.

Hipólita era a rainha das amazonas, mulheres guerreiras que residiam em Temiscira, região próxima ao rio Termodonte. Ela tinha em sua posse o cinturão de Ares para expor sua supremacia. Em seu nono trabalho, o objetivo de Héracles era reaver esse cinturão, pois a filha de Euristeu, Admeto, desejava-o para si.

Para a expedição, Héracles reuniu novos voluntários (como Iolau, Télamon de Egina, Peleu de Iolco e até mesmo Teseu) e todos eles partiram em uma única nau. No caminho para Temiscira, o navio aportou na Mísia, onde Héracles ficou hospedado junto ao rei Lico. Como recompensa pela hospitalidade prestada, Héracles apoiou o rei numa guerra contra os povos que haviam tomado parte do território de Lico, a Paflagônia. Nessa batalha, Héracles matou vários homens, inclusive o rei dos inimigos, chamado Mígdon. Como Lico conseguiu recuperar grande parte de seu território graças a Héracles, ele passou a chamar aquela região de Heracleia, em homenagem ao herói.

Quando Héracles finalmente desembarcou na ilha das amazonas, Hipólita foi até ele para perguntar a razão de sua visita. Héracles revelou-lhe sua missão e a rainha concordou em entregar-lhe o cinturão pacificamente. Mas Hera assumiu a forma de uma das amazonas e se infiltrou na cidade, gritando pelas ruas que os estrangeiros que haviam aportado estavam sequestrando a rainha. Ao ouvir essa informação, as guerreiras apressaram-se para pegar suas armas e cavalgaram até a praia para salvar Hipólita.

Assim que Héracles viu as amazonas se aproximando com suas armas, ele cometeu o equívoco de achar que a rainha havia tramado contra ele e, por essa razão, assassinou-a. Depois, o herói fugiu com o cinturão para Troia, onde ajudou Laomedonte a se livrar de um monstro marinho enviado por

Poseidon.[82] Mais tarde, quando chegou a Micenas após ter passado por Eno e Tasos, entregou o cinturão a Euristeu.

X
O GADO DE GERIÃO

Hércules mata o gigante Cacus e pega de volta o gado de Gerião.
Giambattista Langetti, séc. XVII.

Gerião era filho do gigante Crisaor e da oceânide Calírroe. Ele habitava a ilha de Eriteia e era conhecido como o homem mais forte do mundo. Ele tinha três cabeças, seis braços e um corpo tríplice até a altura do quadril. Em seu décimo trabalho, Hércules deveria conquistar o gado de Gerião sem pedi-lo ou pagar por ele. Esse gado belíssimo era protegido por Eurítion, filho de Ares, e pelo cão Ortro, filho de Tífon e Equidna.

No caminho para Eriteia, Héracles viajou pelo território grego livrando-o de muitas outras feras. Ao chegar à Líbia, em Tartesso, para eternizar suas aventuras, ele ergueu dois pilares, um ao lado do outro, marcando as fronteiras entre a Europa e a Líbia. Essas eram as chamadas "Colunas de Héracles".

Em outro momento da viagem, Hélio emanava raios tão intensos e quentes que Héracles achava impossível seguir seus trabalhos. Irritado, ele mirou uma flecha em direção ao deus, que ficou surpreso com a coragem do herói. Como recompensa por sua bravura, Héracles recebeu de Hélio uma taça dourada gigante, que ele usou para cruzar o oceano e chegar a Eriteia.

---

[82] Confira o capítulo "A fundação de Troia" neste livro.

Em Eriteia, ele montou acampamento no Monte Abas. Contudo, logo a sua presença foi percebida por Ortro, que, avançando contra o herói, atacou-o. Héracles se defendeu com um porrete, assassinando Ortro, mas, logo em seguida, Eurítion veio em socorro do cão, então o herói matou-o também. O pastor de Hades, Menetes, estava cuidando de um gado ali por perto e presenciou todo o conflito, reportou os eventos para Gerião. Héracles já estava conduzindo o gado para partir quando Gerião o alcançou e lutou contra o herói. Gerião, porém, foi ferido e morto pelas flechas de Héracles. Assim, o herói colocou o gado na taça de Hélio e navegou de volta até Tartesso, onde desembarcou com os animais e devolveu a taça ao deus.

Em versões romanas do mito, um gigante cuspidor de fogo filho do deus Hefesto, Caco, tentou roubar o gado de Hércules, contudo, o herói ouve o mugido de um dos bois, identifica a caverna onde Caco escondeu o gado e consegue tomar de volta os animais logo após matar o gigante.

Em seu retorno para Micenas, Héracles passou pelo golfo Adriático, onde Hera decidiu testar as habilidades do herói mais uma vez. A deusa enviou um moscardo contra o gado, fazendo com que os bois se dispersassem e ficassem vagando pelas montanhas da Trácia. Héracles procurou todos os animais do rebanho, mas só conseguiu encontrar alguns deles, que foram conduzidos em direção ao Helesponto. Os animais que ficaram na Trácia, por outro lado, tornaram-se selvagens. Euristeu sacrificou esses animais para Hera e passou a Héracles seu penúltimo trabalho.

XI

OS POMOS DE OURO DO JARDIM DAS HESPÉRIDES

Héracles havia cumprido os dez trabalhos no curso de oito anos e um mês, mas Euristeu invalidou o segundo e o quinto trabalho, alegando que Héracles não os realizou ele mesmo e que só havia conseguido vencer as provas com a ajuda de Iolau, no segundo trabalho, e dos rios, no quinto. Por essa razão, Euristeu apresentou uma tarefa mais complicada: pegar alguns pomos de ouro do jardim das Hespérides.

As Hespérides eram as ninfas que protegiam os frutos junto com um dragão de cem cabeças, filho de Tífon e Equidna. Além deles, Atlas (o titã que se rebelara contra Zeus e que recebeu como punição sustentar o céu em seus ombros) guardava os portões do jardim. Tamanha proteção era necessária, pois a árvore fora dada por Gaia a Zeus e Hera como presente de casamento. Logo, ninguém tinha permissão de se aproximar do jardim e, muito menos, tocar nos pomos.

Héracles descobriu a localização do jardim graças a Nereu, que lhe passou as instruções. A versão que circulou em Roma conta, nesse ponto da narrativa, um episódio muito famoso desse trabalho do herói. Hércules, após receber as informações de Nereu, foi parado no meio do caminho por Anteu, filho do deus Netuno (Poseidon), que desafiou o herói a uma luta. Hércules prontamente aceitou e derrotou Anteu em uma luta livre. Essa luta, contudo, não foi fácil, pois como Anteu também era filho da deusa Terra (Gaia), toda vez que caía no chão e entrava em contato com sua mãe-terra, ele renovava as forças. Hércules percebeu isso e precisou mudar a estratégia dos golpes que dava em Anteu, a fim de que ele não pudesse mais restabelecer as forças com o auxílio de sua mãe. Por isso, Hércules o levantou do chão e esmagou-o, deixando o corpo de Anteu sempre suspenso e imobilizado junto ao seu. Esse episódio tornou-se especialmente conhecido na Renascença, sendo retratado inúmeras vezes em pinturas e esculturas da época.

A Terra, ou o combate entre Hércules e Anteu.
Auguste Couder, 1819.

Após passar por Anteu, no entanto, suas atribuições não acabaram, pois, para entrar no jardim, Héracles ainda tinha de convencer Atlas a deixá-lo entrar. O titã, por sua vez, sugere que ele mesmo fosse pegar os pomos enquanto Héracles segurasse o firmamento por alguns instantes. Como parecia uma boa ideia, Héracles aceitou o trato. Momentos depois, Atlas retornou à entrada do jardim com alguns frutos e propôs levar os pomos a Euristeu, em vez do herói. Diante dessa atitude, Héracles logo percebeu que Atlas estava tentando enganá-lo, então, ele deu o troco da seguinte maneira: fingiu concordar com a proposta do titã, mas pediu para que Atlas voltasse a segurar o céu só por um momento, de modo que Héracles pudesse equilibrar melhor o peso do firmamento em seus ombros. Dessa maneira, Atlas voltou a segurar sua carga e Héracles levou os pomos dourados até Euristeu, mas depois os entregou a Atena, que os devolveu ao jardim.

Hércules no Jardim das Hespérides.
Michele Rocca, c. 1750.

XII
A CAPTURA DE CÉRBERO

O último trabalho de Héracles foi capturar o cão de três cabeças que guardava o submundo: Cérbero. Porém, antes de descer ao Hades, Héracles precisou ser iniciado nos mistérios de Elêusis, de modo a obter informações sobre a tarefa que enfrentaria.

Em seguida, o herói viajou até Tênaro, na Lacônia, onde se encontrava uma das entradas do mundo dos mortos. Assim que entrou pelos portões

Hércules e Cérbero.
Peter Paul Rubens, c. 1636.

da morada de Hades, todas as almas se assustaram com o porte e altivez de Héracles e se afastaram de seu caminho.

Na busca pelo cão, Héracles encontrou Meleagro, um jovem da Calidônia que foi morto por causa de um tição mágico que estava destinado a findar a sua vida caso fosse aceso. Héracles veio a conhecer todos os episódios que levaram Meleagro ao seu fim e compadeceu-se do jovem guerreiro, morto no auge de sua juventude. Como Meleagro não havia deixado herdeiros, Héracles se dispõe a perpetuar a linhagem da família através de um casamento com a irmã do guerreiro, Dejanira, e, desse modo, honrar a vida de Meleagro. Héracles também se deparou com Teseu e Pirítoo, presos a cadeiras mágicas do Hades por tentarem raptar Perséfone e torná-la esposa de Pirítoo. Sobre esse episódio, falaremos mais à frente no capítulo sobre Teseu.

Depois, Héracles encontrou-se com Hades para explicar o motivo de estar ali. Hades ouviu a história e os trabalhos do herói e permitiu que Héracles levasse Cérbero desde que o trouxesse de volta e que não usasse contra ele nenhuma de suas armas. Segundo a versão de Ovídio, narrada no capítulo X das *Metamorfoses*,[83] Héracles amarrou as três cabeças do cão com uma grossa corrente e conduziu-o para fora dos portões do submundo. O monstro muito resistiu, mas não era páreo para a força do herói.

---

[83] *Metamorfoses*, X. 65.

Conforme a claridade do mundo dos vivos foi se revelando, Cérbero ficou ainda mais irritado. Dizem que a saliva do cão, ao entrar em contato com a luz do sol, gerou uma planta venenosa chamada Acônito, que passou a marcar a saída do submundo, por onde Héracles partiu.

Já em Micenas, Euristeu ficou aterrorizado diante do cão e ordenou que Héracles o soltasse imediatamente. Assim foi feito e Cérbero encontrou o seu caminho de volta para o Hades.[84]

Hércules e Cérbero.
Paolo Pagani, séc. XVII.

---

[84] *Biblioteca* (2.5.1-12).

MORTE E ASCENSÃO PARA O OLIMPO

Quando Héracles se propôs a casar-se com Dejanira, a irmã de Meleagro, ela já estava noiva do rio Aqueloo. Portanto, Héracles teve de lutar contra o rio — que assumiu forma humana — para ganhar a mão da moça. No meio do embate, Aqueloo transformou-se em touro também, e Héracles quebrou os seus chifres, derrotando-o.

Mais tarde, quando já estava casado com Dejanira, Héracles estava jantando com o seu sogro quando matou acidentalmente um jovem criado. Esse criado tinha trocado as bacias de lavabo e levado a Héracles a bacia de lavar os pés, em vez da de lavar as mãos. Héracles empurrou o jovem em represália, mas sua força era tamanha que o jovem não resistiu. Sendo assim, como de costume, Héracles precisava se purificar, então ele e Dejanira partiram para Traquínia.[85]

Em dado momento do percurso, eles chegaram a um rio caudaloso, e Dejanira não conseguia atravessá-lo. Assim, um centauro que morava por ali, o Nessos, se ofereceu para levar Dejanira sobre o seu lombo mediante um pagamento. O acordo foi firmado, mas quando o centauro estava no meio do rio, onde havia bancos de areia, ele tentou violentar a moça. Dejanira gritou por socorro, e Héracles, que já estava do outro lado da margem, atirou uma flecha contra o centauro, acertando-o no peito.

Com o pouco de fôlego que lhe restava, Nessos tentou se redimir ensinando Dejanira a fazer uma espécie de elixir do amor com o sangue e o sêmen dele. Ele orientou a moça a usar a poção quando ela duvidasse do amor de Héracles por ela. Nessos estava, na verdade, premeditando a morte de Héracles como sua última vingança, pois o seu sangue estava intoxicado com o veneno da Hidra, passado da flecha para ele.

Em Traquínia, Héracles é purificado de seus crimes. Contudo, para a surpresa de todos, lá ele encontrou Iole, uma mulher mais jovem que há muito Héracles desejava. Dejanira receava que esse encontro voltasse a despertar a paixão do marido por Iole, então ela decidiu usar a poção que Nessos havia lhe dado.

A oportunidade veio quando um dia Héracles precisava vestir seus mantos cerimoniais para uma celebração na cidade. Dejanira estava incumbida

---

[85] Para mais sobre o casamento de Héracles e Dejanira e a morte do herói, confira a tragédia *As Traquínias* de Sófocles.

de preparar as vestes do marido e, portanto, não hesitou em despejar a poção nas roupas que Héracles usaria. Assim que Héracles as vestiu, sua pele começou a queimar terrivelmente, deformando a silhueta do herói e causando-lhe dores insuportáveis. Dejanira, tomando consciência de sua ingenuidade, tirou a sua própria vida usando a espada do marido.

Pouco antes de morrer e sabendo que não teria como se livrar de seu destino, Héracles pediu aos homens que estavam ali presentes para construírem uma pira para ele, para que ele morresse como herói. Quando a pira ficou pronta e Héracles foi posto sobre ela, ninguém teve coragem de acendê-la, pois, apesar de gravemente ferido, o herói ainda estava vivo. Foi Filoctetes, ainda menino, que acendeu a pira do herói e ganhou dele, como agradecimento, seu arco e suas flechas.

Quando a pira foi finalmente acesa, um raio caiu sobre ela e os ossos de Héracles desapareceram; era um sinal de que Héracles havia ascendido ao Olimpo e, assim, ele tornou-se um deus. No Olimpo, ele enfim se reconcilia com Hera e se casa com Hebe, a deusa da juventude.

Hércules e Dejanira.
Titiaan, 1709.

Detalhe da pintura *Perseu confrontando Fineu com a cabeça da Medusa*. Sebastiano Ricci, c. 1705.

PERSEU

AS ORIGENS DE PERSEU

O rei de Argos, Acrísio, tinha uma filha chamada Dânae, mas ainda não possuía herdeiros homens. Preocupado com o destino de sua linhagem e de seu reino, ele recorre ao oráculo, perguntando-lhe, sem rodeios, se um dia ele teria um filho homem. O oráculo foi tão direto quanto o rei, replicando que Acrísio não teria um filho homem, mas se sua filha viesse a ter um filho, este o mataria.

Logo, Acrísio busca subterfúgios para reverter as previsões do oráculo e, para tanto, resolve privar a filha de qualquer contato com o mundo externo. Ele constrói um cofre subterrâneo para aprisioná-la, permitindo apenas o contato entre ela e sua ama, de modo que recebesse os cuidados necessários para a sua sobrevivência. À primeira vista, tudo indicava que Dânae ali viveria para sempre e que Acrísio não corria nenhum risco.

Zeus, entretanto, vinha observando a jovem e havia se encantado por sua beleza. Em forma de uma chuva de ouro, Zeus permeou as grades da cela onde Dânae estava e fecundou-a, sem que ela percebesse o que realmente estava acontecendo. Assim, ela engravida e dá à luz um menino: Perseu. Alguns anos se passam até Acrísio descobrir que tinha um neto, mas, quando o menino é descoberto, o rei logo toma suas providências: assassina a ama e os guardas, pensando que havia sido traído por eles, e manda construir uma arca, dentro da qual partiriam Dânae e Perseu, que seriam lançados para fora da embarcação quando a arca alcançasse alto-mar.

Zeus, que acompanhava tudo de sua morada, enviou, através de Hermes, bons ventos para a viagem de sua amante e de seu filho. Graças a esses ventos, eles chegaram até a ilha de Séfiro em segurança, onde foram recebidos por um gentil pescador chamado Díctis, que era irmão do rei Polidectes. A presença dos refugiados escapa a Polidectes por algum tempo, mas, assim que ele vê Dânae, começa a cogitar meios de fazê-la sua esposa. Para mantê-la por perto, ele lhe dá um cargo e atribuições no palácio, mas desde cedo percebe a rejeição que Perseu tem a ele.

Eliminar Perseu seria eliminar, de modo semelhante, qualquer chance que ele poderia ter com Dânae, portanto, Polidectes tenta o seguinte: como uma distração para suas reais intenções, ele anuncia que não está mais interessado em Dânae e que vai se casar com a princesa Hipodameia, de Olímpia. Acontece que essa princesa era um tanto inacessível, pois seu pai exterminava todos os seus pretendentes após desafiá-los a uma corrida de cavalos, ocasião que servia, de fato, para matá-los. Então, Polidectes pediu cavalos à população, para enviar como presente de casamento a Hipodameia. Perseu, no entanto, não tinha condições de contribuir com o presente, visto que era pobre, mas, em vez do cavalo, ele se propôs a obter a cabeça da Medusa.

PERSEU E MEDUSA

O herói buscou os conselhos de Atena para cumprir sua missão. Em uma noite, ele dormiu no templo da deusa, que lhe passou todas as instruções. Em primeiro lugar, Perseu precisaria de armas que estivessem à altura da tarefa, pois Medusa e suas irmãs eram extremamente perigosas. Assim, Atena entrega a ele um escudo tão reluzente que qualquer um poderia ver-se refletido nele; Hermes presenteia-o com sandálias aladas, para facilitar sua viagem e, depois, sua fuga, e Hades entrega-lhe o elmo que transforma quem o veste em invisível. Além desses itens, Perseu também recebe uma espada afiadíssima e uma bolsa feita com malha de prata para trazer a cabeça do monstro preservando seus poderes.

O primeiro passo de Perseu foi procurar as Greias, três irmãs quase cegas que compartilhavam apenas um olho e que eram sentinelas das Górgonas. Vestindo o elmo da invisibilidade, o herói pegou o olho das irmãs e chantageou-as, pedindo em troca dele informações para chegar até as Górgonas e, por consequência, até Medusa. Como o olho era fundamental para a vida das Greias, elas revelaram a morada secreta dos monstros.

Ainda portando o elmo mágico, Perseu adentrou a caverna das Górgonas enquanto elas estavam dormindo e procurou por Medusa — ele sabia quem era ela, pois Atena lhe havia mostrado sua aparência anteriormente. Usando o escudo como espelho para evitar olhar diretamente para o monstro, Perseu decepou sua cabeça, e do sangue dessa decapitação nasceram o cavalo alado Pégaso e o gigante Crisaor. Depois de ter derrotado Medusa, Perseu partiu voando em suas sandálias aladas, e, mesmo quando as outras Górgonas o perseguiram, ele conseguiu escapar.

Perseu e as Greias. Helen Stratton, 1915.

O RETORNO DE PERSEU

Em seu retorno, Perseu passou pela Líbia — hoje equivalente ao norte da África — chegando aos territórios do titã Atlas, que guardava o Jardim das Hespérides. Ele pediu abrigo ao titã, apresentando-se como filho de Zeus e responsável pela morte da Medusa; Atlas, no entanto, muito desconfiado, repele-o, pois temia um antigo oráculo que previra que um filho de Zeus roubaria os frutos que ele guardava. Ofendido pelos modos rudes do titã, Perseu tira a cabeça da Medusa da bolsa que a protegia e a coloca bem na frente de Atlas e, assim, petrifica-o.[86]

Enquanto seguia sua viagem voando pelo norte da África, observando todo o caminho abaixo de si, Perseu avistou uma cena inusitada: em uma praia, havia uma jovem mulher nua presa a um rochedo por correntes. Essa jovem era Andrômeda e ela estava sendo oferecida como sacrifício para livrar sua cidade do monstro marinho Ceto — uma espécie de dragão marinho —, enviado por Poseidon após a mãe de Andrômeda, Cassiopeia, ter se gabado de ser mais bela que as filhas do deus dos mares. Assim que avistou Andrômeda, Perseu desceu até ela para saber o que estava acontecendo. A princesa, então, explicou ao herói as ofensas cometidas pela mãe e, na tentativa de ser poupada, pediu para que ele a levasse consigo, como escrava ou esposa. Nesse momento, o enorme monstro saiu das profundezas do mar e avançou contra o casal, mas Perseu destruiu-o com um único e certeiro golpe de sua espada.

O povo da cidade, que estava na praia, aguardando o sacrifício, gritou em surpresa e em alívio, e o rei e a rainha vieram ao encontro de Perseu, concedendo a mão de Andrômeda a ele.

Ao retornar à ilha de Séfiro, Perseu descobriu que Díctis e Dânae haviam se refugiado em um templo para escaparem das violências de Polidectes. Perseu, então, foi até o palácio do rei, onde ele estava com seus comparsas e, chamando a atenção de todos para si, revelou-lhes a cabeça da Medusa, transformando-os todos em pedra. Com a morte de seu irmão, Díctis foi coroado rei, mas Perseu e sua mãe decidiram voltar a Argos para reatar a relação com Acrísio. Este, no entanto, assim que soube que o neto estava vindo à sua corte, temeu o oráculo e fugiu para Larissa, onde ficou escondido com

---

[86] Esse episódio é bastante curioso, pois, duas gerações depois de Perseu, Héracles (que, aliás, é bisneto de Perseu por parte de mãe e meio-irmão por parte de pai) passaria por esse mesmo lugar, e Atlas tentaria convencê-lo a segurar o mundo por alguns instantes, como já narrado. Ora, isso não seria possível se o titã ainda estivesse petrificado. É importante recordar, contudo, que os mitos não seguem uma lógica: eles são, antes, narrativas fluidas e relacionam-se.

um nome falso. Como os oráculos são inevitáveis, Perseu calhou de ir até Larissa também, pois o rei estava proporcionando jogos atléticos em honra a seu falecido pai. Na prova do pentatlo, Perseu lançou um disco que acabou atingindo Acrísio, espectador dos jogos, causando-lhe a morte.

Quando soube que o homem que ele havia matado por acidente era o seu avô, Perseu desistiu do trono de Argos por vergonha e o ofereceu a Megapentes, rei de Tirinto, enquanto ele mesmo receberia Tirinto em troca.[87]

Perseu e Andrômeda.
Anton Raphael Mengs, 1778.

---

[87] *Noites Gregas*: #39 – Medusa e Perseu. Locução de: Claudio Moreno e Filipe Speck. [S.l.]: fevereiro de 2022. Podcast. Disponível em: https://open.spotify.com/episode/1WL2W47n8cmBQuDMrqNe-7Q?si=e4f52764c1a245dd. Acesso em: 18/01/2023.; *Biblioteca* (2.4.1-5).

Teseu.
Pierre Joseph Célestin François, 1839.

TESEU

O NASCIMENTO DE TESEU

Egeu era rei de Atenas e teve duas esposas: a primeira foi Melite e a segunda foi Calcíope, mas nenhuma delas deu-lhe herdeiros. Por isso, Egeu temia perder a sua posição para seus irmãos, que também governavam em Atenas, embora ele (Egeu) fosse o líder supremo. Desse modo, ele foi até o oráculo para saber como ele poderia gerar filhos, mas a resposta do oráculo foi tão elusiva que o rei não soube interpretá-la. Ela dizia:

> "Ó, excelentíssimo entre os homens! Não desamarre a boca saliente de seu odre de vinho até que você tenha chegado ao ponto mais alto de Atenas."

Em seu caminho de volta para Atenas, ele se hospedou em Trezena com Piteu, filho de Pélops, que, ao saber do oráculo que Egeu havia recebido, embebedou-o e garantiu que ele se deitasse com a sua filha, Etra, porém, nessa mesma noite, Poseidon também se deitou com ela. Na manhã seguinte, Egeu fez Etra prometer que, caso ela engravidasse e desse à luz um menino, ela deveria criá-lo sem dizer quem era seu pai. Depois, ele colocou uma espada e um par de sandálias presos sob uma rocha e disse a Etra que, quando seu filho tivesse força o suficiente para erguer a rocha, ele deveria ir até o pai levando os objetos que ele, Egeu, deixara para trás; assim, o menino seria reconhecido como herdeiro legítimo do trono de Atenas. E então, depois de alguns meses, Teseu nasceu e foi criado em Trezena, mas seu avô, Piteu, dizia que o neto era filho de Poseidon.

Quando Teseu era criança, ele conheceu Héracles na morada de seu avô, pois Piteu era tio-avô de Alcmena, mãe de Héracles, portanto, ambos os heróis eram parentes, apesar de haver certa distância nesse parentesco. Assim que Teseu conheceu Héracles, passou a tê-lo como seu modelo de herói. Algumas fontes, como Plutarco, dizem que Piteu seria tio direto de Alcmena, e, nesse caso, Hércules e Teseu seriam primos de segundo grau.

Anos mais tarde, quando Teseu completou dezesseis anos, Etra contou ao filho a verdade sobre seu nascimento e mostrou-lhe a rocha com os objetos de seu pai. O jovem não teve dificuldade em partir a rocha no meio e recuperar os itens e, assim que o fez, partiu para Atenas.

OS TRABALHOS DE TESEU

Ao longo de sua viagem, a pé, Teseu enfrentou bandidos na costa de Trezena; feras como uma porca selvagem que, diziam, era filha de Tífon e Equidna, e matou malfeitores que ameaçavam, injustamente, os povos de suas respectivas regiões. Esses últimos Teseu puniu aplicando as exatas práticas e crueldades que eles infligiam às suas vítimas. Por exemplo, em Epidauro, ele matou Perifetes, que usava uma clava de ferro para agredir viajantes; em Corinto, Teseu livrou a cidade de Sínis, homem que forçava os viajantes a envergarem pinheiros e a os segurarem no chão até que eles não aguentassem mais e, então, fossem lançados aos ares; na Megárida, ele enfrentou Círon, que fazia os estrangeiros lavarem seus pés e logo depois chutava-os no rio, onde uma tartaruga gigante alimentava-se desses homens; em Elêusis, ele derrotou Cércion, que obrigava os pedestres a lutarem contra ele, mas sempre os vencia. Por fim, Teseu derrotou um homem chamado Damastes, que oferecia hospitalidade aos viajantes e depois amarrava-os em uma cama: os homens mais baixos ele amarrava a uma cama maior para depois estirá-los na expectativa de fazê-los alcançar o mesmo comprimento do leito e, com os homens mais altos, ele fazia o inverso, prendendo-os a um leito menor e depois cortando os membros que ficavam para fora da cama. Por onde passava, Teseu fazia justiça, esperando tornar-se um grandioso herói, tão grandioso quanto Héracles.

Quando Teseu finalmente chegou a Atenas, Egeu estava casado com Medeia e não o reconheceu de imediato, pois Medeia logo conspirou contra o jovem e colocou seu pai contra ele, alegando que era um conspirador. Por essa razão, Egeu enviou Teseu para enfrentar o touro de Maratona (também conhecido como o touro de Creta, que era filho de Poseidon), confiando que ele seria morto pelo animal, mas isso não aconteceu. Depois que Teseu livrou-se do animal, Egeu tentou intoxicá-lo com um dos fármacos de Medeia, mas quando o herói estava prestes a beber a poção, ele tirou a antiga espada que pertencera a seu pai e colocou-a sobre uma mesa. Reconhecendo o objeto e, consequentemente, o filho, Egeu tirou o cálice envenenado de suas mãos imediatamente. O reconhecimento entre pai e filho, portanto, desmascarou os ardis da feiticeira Medeia, e Teseu baniu-a de Atenas.

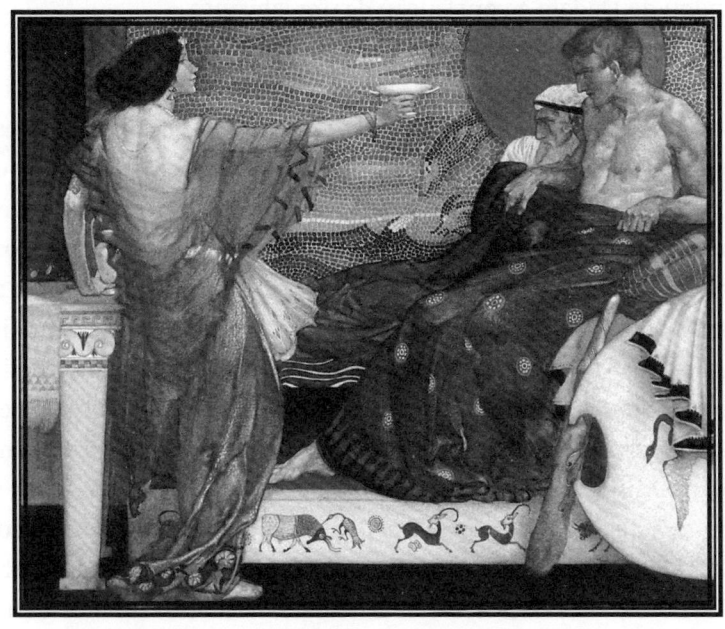

Medeia oferecendo vinho misturado com uma poção venenosa a Teseu. William Russell Flint, 1912.

Todavia, o maior e mais popular feito de Teseu foi ter derrotado o Minotauro. Antes de narrar esta aventura, porém, devemos resgatar alguns episódios que a precederam. Em Creta, o rei Minos, que era filho de Zeus e da princesa fenícia Europa, precisava justificar que era o herdeiro legítimo daquela região e, então, pediu para Poseidon ajudá-lo. Acatando seu pedido, o deus dos mares enviou, das profundezas do mar, um belíssimo touro, que deveria ser sacrificado para ele mais tarde. Contudo, ao ver o esplêndido animal, Minos resolveu mantê-lo para melhorar a estirpe de seu próprio gado, sacrificando, então, um outro touro ao deus. Furioso, Poseidon arquitetou sua vingança contra Minos: ele fez a rainha-feiticeira Pasífae — mulher de Minos, irmã de Circe e tia de Medeia — arder de desejo pelo touro, seguindo-o pelos pastos e negligenciando seu marido. Enquanto isso se sucedia, Dédalo, o grande arquiteto e inventor, estava em Creta como hóspede de Minos, então logo Pasífae viu, através dele, a oportunidade de saciar o seu desejo. Dédalo, portanto, construiu uma estrutura que se assemelhava a uma novilha, a ser controlada por Pasífae do lado de dentro, conforme ela encaixava seu corpo ao corpo do suposto animal. Enfim, Pasífae e o touro se uniram e dessa união nasceu o Minotauro, um menino com cabeça de touro, para a grande vergonha de Minos. A fim de tentar esconder tal aberração, o rei de Creta encomendou de Dédalo a construção de um labirinto.

Tendo feito essa contextualização, voltemos agora a Egeu. O rei de Atenas retornou para casa depois de ter consultado o oráculo, e lá celebrou as Panateneias, festivais para honrar a deusa Palas Atena. Durante os jogos realizados como parte do ritual, Androgeu, filho do rei Minos, venceu todos os seus oponentes, e, por causa de sua excelência que causava inveja, Egeu enviou-o a Maratona para lutar contra o touro de Creta. Nessa empreitada, contudo, Androgeu não foi bem-sucedido e acabou morto pela fera. Ao receber a notícia da morte do filho, Minos suspeitou que Egeu agira com esse exato intuito e, assim, ele começou a reunir uma expedição para atacar Atenas. Assim que chegou à terra de seus inimigos, Minos sitiou a cidade com o objetivo de esgotar os recursos da população. A empreitada foi um sucesso, pois logo os atenienses se renderam. Minos, não obstante, ainda não estava satisfeito. Assim sendo, ele dirigiu-se a Zeus com uma súplica, pedindo que o pai fizesse algo contra a cidade de Atenas. Zeus acolhe o pedido do filho, envia uma peste a Atenas e faz os rios em volta da cidade secarem, encurralando ainda mais os atenienses. Por essa razão, sem qualquer outra alternativa, Egeu concluiu que a melhor solução era recorrer ao oráculo, cuja resposta determinou que ele deveria aceitar e cumprir todas as demandas de Minos, e o que o rei cretense estipulou foi o sacrifício de sete moços e sete moças, de nove em nove anos, para serem levados a Creta a fim de servir de alimento ao Minotauro.

Naquele dia em que Teseu chegou a Atenas, os atenienses estavam aflitos porque o terceiro tributo a Creta se aproximava. Como Teseu vinha sedento de justiça desde que deixara Trezena, ele se voluntariou para ser o décimo quarto jovem a ser oferecido como sacrifício. Egeu, já ciente da identidade do filho, implorou para que ele não se sacrificasse, mas Teseu estava resoluto em matar

Teseu matando o Minotauro.
William Russell Flint, 1912.

o Minotauro e dar um fim ao sofrimento dos atenienses. Quando chegou o dia, os quatorze jovens partiram em uma nau de velas negras, simbolizando o luto por aqueles que jamais retornariam de Creta. Dessa vez, no entanto, Egeu tinha esperança de que Teseu exterminasse a fera e, então, ele entregou velas brancas ao comandante da nau, a serem usadas caso a expedição tivesse sucesso.

Tão logo o navio chegou a Creta, Afrodite interferiu a favor dos atenienses, fazendo com que a princesa Ariadne se apaixonasse por Teseu. Desse modo, a princesa se colocou à disposição do herói para auxiliá-lo a derrotar a criatura que era seu meio-irmão, desde que Teseu a levasse consigo para Atenas e se casasse com ela. Tendo firmado o acordo com Teseu, Ariadne dirigiu-se até Dédalo para obter maiores informações sobre o labirinto, as quais o arquiteto lhe revelou de bom grado. Dédalo também entregou a Ariadne um novelo de lã para que Teseu pudesse marcar o seu percurso dentro do labirinto e, assim, encontrasse a saída.

Teseu conseguiu abater a criatura graças a esse ardil, mas alguns dizem que o Minotauro mal resistiu aos ataques do herói, pois ansiava por ser libertado de sua prisão. Em seguida, após cumprir a missão, Teseu partiu com os outros jovens e Ariadne para Atenas. Durante o percurso, eles fizeram uma parada em Naxos, onde, depois da noite de núpcias, o herói abandonou Ariadne. Alguns dizem que ele o fez por causa de uma aparição de Atena, que o aconselhou a deixar a ilha imediatamente, pois eles estavam no território de Dioniso, e o deus cobiçava a jovem cretense há muito tempo. Depois que Ariadne assimilou o que havia acontecido, seu primeiro ímpeto foi suicidar-se. Entretanto, quando ela estava a ponto de se jogar de um penhasco, Dioniso apareceu na companhia de seus sátiros e de suas mênades e cortejou a moça, dizendo que faria dela sua esposa; como nenhuma outra solução parecia possível, Ariadne casou-se com o deus e foi levada para o Olimpo.

Enquanto isso, a nau de Teseu se aproximava de Atenas. O comandante responsável por trocar as velas, no entanto, esqueceu-se da tarefa. Egeu, que observava o mar todos os dias, esperando o retorno do filho, avistou a nau com as velas negras e, em seu desespero por ter perdido o filho — assim ele supunha — atirou-se ao mar. O mar daquela região, conhecido hoje como Cabo Súnion, levou o seu nome.

O FUTURO DE TESEU: REI

Uma das outras aventuras de Teseu envolve o nono trabalho de Héracles, pois o herói foi um dos que acompanhou Héracles nessa expedição, cujo objetivo era capturar o cinturão da rainha das amazonas, Hipólita. Depois do combate, Teseu levou Antíope — outra rainha amazona irmã de Hipólita — consigo e casou-se com ela. Juntos, eles tiveram um filho chamado Hipólito. Entretanto, o ato de Teseu gerou uma grande revolta entre as amazonas, incitando-as a marcharem para Atenas para recuperar a rainha, mas as guerreiras são derrotadas pelo herói. Durante esse combate, Antíope foi morta por uma de suas companheiras por acidente. Nessa época, Teseu contava com a aliança de Deucalião, um dos filhos de Minos e o então rei de Creta, que ofereceu a Teseu a mão de sua irmã, Fedra, depois que o rei ateniense ficou viúvo. Eles se casaram, mas os desdobramentos dessa união são trágicos.

Hipólito era o filho preferido de Teseu e herdeiro do trono, mas tinha ofendido Afrodite por recusar o casamento; por conseguinte, era natural que a deusa desejasse castigá-lo. Desse modo, Afrodite nutriu em Fedra uma incontrolável paixão pelo enteado, que, apesar das investidas da mulher, mantém-se firme em sua decisão. Além de se sentir humilhada pela rejeição, Fedra passou a temer que Hipólito contasse sobre o comportamento da madrasta para seu pai, Egeu. Como consequência, para terminar suas aflições, Fedra se enforcou, mas antes deixou um bilhete escrito acusando Hipólito de tê-la violentado. Diante da evidência da carta, Teseu acreditou nas palavras de Fedra e lançou uma maldição contra o filho. Hipólito era inocente e sabia disso, mas, atordoado, pegou seus cavalos e fugiu em sua quadriga. Quando ele estava passando por uma estrada próxima ao mar, Poseidon enviou uma onda enorme, de onde saiu um touro furioso que não atacou Hipólito, mas assustou os cavalos, causando um acidente terrível. Hipólito sofreu vários ferimentos graves e teve de ser levado de volta para a casa de seu pai, que, mesmo naquela condição, ainda o rejeitava. Diante de todos esses acontecimentos, Ártemis intercedeu a favor de Hipólito, seu protegido, e revelou toda a verdade para Teseu. Hipólito, no entanto, não resistiu aos ferimentos e faleceu. Seu pai, corroído pelo remorso, viu-se sozinho e desamparado após anos de glória.

Passado algum tempo, perto da velhice, Teseu encontrou-se com um velho amigo, Pirítoo, e em suas conversas, refletiam sobre suas vidas, lamentando-se, porém, de não terem alcançado um feito que, para eles, seria notável: envolver-se com uma filha de Zeus. Portanto, eles decidiram, de maneira bastante inconsequente, raptar Helena e Perséfone. Apesar de iniciarem a empreitada juntos, eles fizeram um sorteio para decidir quem haveria de desposar cada uma das moças; ao final do sorteio, foi estabelecido que Teseu ficaria com Helena, e Pirítoo, com Perséfone.

Teseu e Pirítoo raptando Helena.
Pelagio Palagi, 1814.

Os homens conseguiram raptar Helena sem grandes dificuldades, mas, ao chegarem ao Hades para buscarem Perséfone, foram enganados pelo deus do submundo. Hades os recebeu muito amistosamente, convidando-os, inclusive, a se sentarem, contudo as cadeiras eram mágicas e provocavam o esquecimento. Assim que eles se sentaram, seus corpos ficaram presos aos assentos e eles perderam a memória. Teseu teria ficado no Hades por toda a eternidade não fosse por Héracles que, por acaso, havia chegado àquele mesmo lugar exatamente na mesma hora (durante o seu último trabalho) e o ajudou a se soltar da cadeira. Héracles conseguiu salvar apenas Teseu, pois foi flagrado por Hades antes que ele conseguisse libertar Pirítoo. Portanto, Teseu foi mais um entre os únicos que desceram ao Hades em vida e puderam retornar à terra depois.

Depois de muitas peripécias, a despeito de seus nobres feitos da juventude e de seu reinado justo, próspero e democrático, Teseu chegou ao fim de seus dias expulso de Atenas e refugiado em Esquiro, com o rei Licomedes. Todavia, depois de um tempo, Licomedes temia que, devido ao seu carisma, Teseu tomasse o poder da ilha; então, um dia, ele empurrou o refugiado de um penhasco, causando a sua morte.

TRAGÉDIAS

ESFINGE

Medea. William Wetmore Story, 1868.
Nova Iorque, The Metropolitan Museum of Art.

CASSANDRA

Cassandra, também conhecida como Alexandra, assim como seu irmão, Páris, também era chamado de Alexandre,[88] é a princesa troiana filha do rei Príamo. Cassandra tinha dons proféticos dados pelo próprio deus Apolo, que havia se enamorado da moça quando ela adormecera em seu templo. Em troca de se deitar com ele, o deus oferece o dom da clarividência para Cassandra, que o aceita, mas na hora de ir para a cama com Apolo, a princesa volta atrás e o rejeita. Sem poder retirar o dom dado, Apolo lança uma maldição complementar ao presente concedido: Cassandra faria profecias verdadeiras, contudo ninguém acreditaria nelas. Envergonhado pelos embaraços da filha, Príamo prende a princesa-profetisa dentro de uma cela. Há uma tragédia helenística chamada *Alexandra*, de Licofrão de Cálcis, feita em formato de monólogo, que narra as profecias de Cassandra dentro dessa cela. Um mensageiro as relata para o próprio rei Príamo. As visões da princesa falavam do destino de Páris desde o seu nascimento, perpassavam a queda de Troia e chegavam até a época de Pirro (288-284 AEC).[89]

Quando os gregos invadiram Troia, Cassandra conseguiu se refugiar em um templo de Atena. Pensando estar a salvo pela sacralidade do templo, Cassandra lá permanece, mas Ájax Oileu — não confundir com Ájax Telamônio, outro guerreiro que lutou em Troia, inclusive ao lado do próprio Ájax Oileu, os dois sendo referidos como Ajantes quando isso acontecia — invade o templo e estupra a princesa. Cassandra suplica pela ajuda de Atena, que duplamente ofendida, tanto pela violência cometida em seu lugar sagrado quanto pelo agravante de ser ela própria uma deusa virgem, promete vingança contra Ájax.

---

[88]   ROCHA, R. A influência da tragédia na Alexandra, de Lícofron, e a questão da performance. *Letras Clássicas*, n. 12, 2008. p. 188.

[89]   Ibid. loc. cit.

Após o guerreiro partir em seu navio, Atena pede ajuda a Poseidon, que destrói a embarcação de Ájax, matando todos, exceto ele próprio, que se salva, abrigando-se em uma rocha. Todavia, sua arrogância o fez gabar-se de não ter morrido pelo ataque do deus, nesse momento, um tridente, movido por Poseidon, sai do mar e perfura Ájax, matando-o.[90]

A morte de Ájax.
Henri Auguste Calixte César Serrur, 1820.

[90] BRITANNICA. *Ajax, the Lesser*. Disponível em: <https://www.britannica.com/topic/Ajax-the-Lesser>. Acesso: 03 fev. 2023.

AGAMÊMNON E CLITEMNESTRA

O drama da princesa Cassandra não parou com Ájax, os destinos reservaram uma vida trágica à troiana. Após ser violentada por Ájax, Cassandra foi levada como espólio de guerra de Agamêmnon, o rei de Micenas e irmão de Menelau, o rei espartano de quem a esposa, Helena, foi raptada. Cassandra avisa a Agamêmnon que se ele voltasse para casa morreria, mas como a princesa-profetisa estava fadada a nunca ser levada a sério, o rei a ignora e a leva para sua casa como concubina mesmo assim. Com Cassandra ele terá dois filhos gêmeos, Teledamo e Pélope.[91]

Clitemnestra e Egisto prestes a assassinar Agamêmnon.
Pierre-Narcisse Guérin, 1817.

[91] PAUSÂNIAS. *Descrição da Grécia*: Corinto. Capítulo 16, seção 6. Disponível em: <www.perseus.tufts.edu>. Acesso em: 03 fev. 2023.

De volta para casa, o destino de Agamêmnon será como predisse Cassandra. Sua morte estava mais perto ainda do que imaginava, pois sua própria mulher, Clitemnestra — irmã de Helena —, estava tendo um caso com Egisto, o mesmo homem que havia matado seu sogro e pai de Agamêmnon, Atreu. Egisto e Clitemnestra se envolvem de tal forma que algumas fontes dizem que ela mesma matou Agamêmnon com as próprias mãos e outros dizem que Clitemnestra orquestrou o plano com Egisto, mas esse último foi quem acabou fazendo o trabalho sujo. O casal assassino também matou Cassandra, que havia sido levada contra sua vontade para ser concubina do rei, além dos filhos gêmeos que ela teve com Agamêmnon.

MEDEIA

Quando o drama *Medeia* (431 AEC) do tragediógrafo Eurípides (c. 480-406 AEC) começa, Jasão e Medeia estavam vivendo em Corinto, governada por Creonte, há dez anos e já tinham tido filhos. Embora Medeia fosse uma estrangeira, ela era bastante respeitada pelo povo de Corinto, principalmente porque era vista como uma protegida de Hera, devido ao sucesso da expedição dos Argonautas.

Conforme o tempo passava e Medeia envelhecia, Jasão passou a tramar um outro plano para conseguir anular seu casamento com ela e depois se casar com Glauce (também conhecida como Creusa), princesa de Corinto; dessa maneira, ele finalmente teria a posse do trono que tanto desejava. Logo, a primeira tentativa de Jasão foi separar-se de Medeia de maneira amigável, sem litígios. Assim sendo, ele abordou a esposa e explicou a situação para ela, pedindo que ela consentisse com o divórcio. Medeia, no entanto, fica perplexa diante do pedido, mas Jasão garante que se casaria com Glauce para garantir o futuro dos filhos, pois, assim, eles teriam uma casa real e posições importantes para assumir.

Ultrajada, Medeia apela para que Jasão reconsidere, enumerando tudo o que ela já havia feito por ele, sobretudo os crimes que cometera para que ele pudesse ter sucesso. Ela afirma que se tornou aquela pessoa terrível e amedrontadora por causa dele. Jasão, por sua vez, rebate e alega que fora Afrodite a responsável pelos ardis de Medeia, pois ela fez o que fez após ter sido flechada

Medea. Corrado Giaquinto, c.1750

por Eros; ou seja, ela só cometeu os crimes e desertou a pátria porque estava cega de amor. Assim dizendo, Jasão anula por completo os sacrifícios que Medeia um dia fez por ele, tornando a injúria feita à esposa muito maior.

Enquanto isso, Creonte, o rei de Corinto, estava nos preparativos para o casamento da filha, mas temia a reação de Medeia depois que a boda se consumasse. Afinal, ela poderia ser uma ameaça para toda cidade, pois não hesitaria em usar os seus poderes e feitiços para se vingar de Jasão. A fim de evitar qualquer prejuízo para si, para a filha e para o seu reino, Creonte foi até Medeia e lhe deu um dia para deixar Corinto. Medeia, portanto, encontrava-se em uma situação humilhante. Ela não teria como voltar para seu lar na Cólquida, pois era uma desertora e tinha traído seu próprio pai, tampouco teria a proteção de um marido para si e para seus filhos.

Aconteceu que, por acaso, enquanto ela vagava pelas ruas de Corinto, atordoada, ela veio a conhecer Egeu, o rei de Atenas. Ele já sabia o que estava acontecendo em Corinto e compreendia a injustiça cometida contra ela, então ele propôs que ela fosse para Atenas com ele e o ajudasse, com as suas artes, a gerar um herdeiro para a cidade. A oferta pareceu muito atraente para Medeia, pois também possibilitava que ela arquitetasse a sua vingança contra os três que a feriram: Jasão, Creonte e Glauce.

Primeiro, Medeia procurou Jasão e fingiu estar conformada com a situação, dizendo, inclusive, que desejava enviar um presente à princesa para que ela reconhecesse a gentileza e pudesse ser uma boa madrasta para os filhos do marido. Assim, Medeia enviou um véu branquíssimo e uma tiara dourada, dados a ela por seu avô, Hélio. Contudo, os presentes tinham sido envenenados por uma poção que tinha uma substância extremamente ácida. Glauce recebeu os presentes e logo os colocou no corpo, mas o ácido começou a queimar a sua pele, e a princesa caiu na armadilha. Seu sofrimento era terrível, e seu pai, na tentativa de ajudá-la a retirar os objetos do corpo, também foi atingido pelo veneno. De uma maneira terrível, pai e filha pereceram, pois não resistiram aos ferimentos.

Tendo vencido dois inimigos, o próximo alvo era Jasão e, para atingi-lo da pior maneira possível, Medeia decidiu assassinar os próprios filhos. Essa decisão foi tomada depois de muita deliberação, vale dizer, pois ela amava as crianças; no entanto, a vergonha de ser abandonada e depois julgada pelo povo de Corinto se sobressaía a qualquer outro sentimento.

Após o assassinato das crianças, Medeia acompanhou Egeu até Atenas, e Jasão sofreu terrivelmente com a ausência da esposa e dos filhos. Depois de muitos anos, já envelhecido e cansado de tanto sofrimento, ele pediu a Zeus para que pusesse um fim aos seus tormentos. Um dia, então, durante uma de suas inspeções à antiga nau Argo, preservada como um troféu dos dias de glória, ele se deitou sobre a popa da embarcação para descansar quando uma viga caiu sobre a sua cabeça, matando-o.[92]

ÉDIPO

Laio, filho de Lábdaco, casou-se com Jocasta, irmã de Creonte, e se tornou o rei de Tebas. Algum tempo se passou sem que eles tivessem gerado um herdeiro, então, Laio, aflito, decidiu consultar o oráculo de Delfos sobre esse assunto. A revelação foi a seguinte: qualquer filho que nascesse de sua união com Jocasta o mataria. Consequentemente, Laio afastou-se da esposa sem lhe dar qualquer explicação, atitude que muito a ofendeu. Por isso, certa noite, Jocasta embebedou o marido e deitou-se com ele. Nove meses depois, ela deu à luz um menino.

Na tentativa de escapar do destino predito pelo oráculo, Laio tomou o filho recém-nascido dos braços da esposa, furou os pés do bebê com um prego, juntando um ao outro, e deu-o a um de seus pastores com a ordem de abandoná-lo no monte Cítéron. Entretanto, o pastor apiedou-se do menino e o entregou a um colega que cuidava dos rebanhos de Pólibo, rei de Corinto. Esse segundo pastor, por sua vez, levou a criança até o rei, que sofria com a falta de um herdeiro. Assim, Pólibo e sua esposa, Mérope, adotaram o bebê e chamaram-no de Édipo, por causa de seus pés deformados (*Oidípous* em grego significa "pés inchados").

Um dia, quando Édipo já tinha alcançado a maioridade, foi insultado por um jovem embriagado, que lhe dissera que ele havia sido adotado. Diante dessa informação, Édipo resolveu consultar o oráculo para descobrir algo sobre a sua verdadeira ascendência. Sobre isso, no entanto, o oráculo nada revelou, mas previu que o jovem se casaria com a sua própria mãe e assassinaria o próprio pai. Bastante atordoado com as revelações e porque amava seus

---

[92] *Noites Gregas*: #44 – Medeia. Locução de: Claudio Moreno e Filipe Speck. [S.l.]: agosto de 2022. Podcast. Disponível em: https://open.spotify.com/episode/4iQWhcnzr8yflMNM9MrSYf?si=7b4c258b7f684649. Acesso em: dezembro de 2022.

pais adotivos, ainda pensando que eles eram seus reais progenitores, Édipo abandonou Corinto, tentando escapar de seu terrível destino.

Em sua fuga, chegou aos domínios de Tebas e, quando estava atravessando uma encruzilhada, um velho homem em uma carruagem gritou para que ele saísse do caminho. Mas não foi só isso: um dos criados desse homem agrediu Édipo, que, para se defender, atacou-o também e depois atacou o velho, tirando-lhe a vida. Ele não sabia, contudo, que se tratava de Laio, seu verdadeiro pai. Acontece que, nessa mesma época, Tebas estava sendo atormentada pela Esfinge, a ilustre criatura que propunha enigmas para todos os viajantes que ali passavam. Se não respondessem corretamente ao enigma, eram devorados pelo monstro. Édipo, seguindo sua viagem após ter matado Laio, passou por ela no caminho para entrar na cidade de Tebas. O enigma que a Esfinge lhe propôs foi o seguinte:

— O que é que de dia tem quatro pés, de tarde tem dois e de noite tem três?
— O homem — respondeu-lhe Édipo. — Pois engatinha quando é bebê, anda sobre suas duas pernas na vida adulta e, na velhice, caminha amparado por uma bengala.

Ao desvendar a charada, Édipo livrou Tebas da maldição da criatura, que encontraria o seu fim quando alguém pudesse adivinhar algum de seus enigmas.

Diante desses acontecimentos, Édipo se tornou o rei de Tebas, casou-se, sem saber, com sua mãe, Jocasta, e com ela teve dois filhos, Etéocles e Polinices, e duas filhas, Antígona e Ismene. Por muitos anos, Édipo governou em paz e Tebas prosperou, mas os deuses observavam as consequências hediondas da ignorância dos homens acerca das previsões dos oráculos e fizeram cair sobre Tebas uma peste que dizimou o povo. Como já estava sem recursos, Édipo pediu que seu cunhado, Creonte, fosse até o oráculo para descobrir como a cidade poderia se livrar da peste. É a partir desse ponto que a tragédia *Édipo Rei* (c. 427 AEC) de Sófocles (c. 496-406 AEC) tem início.

A peça tem como argumento a descoberta, por Édipo, dos eventos que culminaram na peste enviada a Tebas e em sua busca por encontrar o culpado dos crimes, pois, para que a peste terminasse, o assassino de Laio deveria ser expulso da cidade. Apesar de já ter enviado Creonte até o oráculo, Édipo também mandou chamar o velho adivinho Tirésias, que era cego, para se pronunciar acerca dos acontecimentos. Quando, porém, o velho revelou que Édipo era o culpado por tudo o que estava acontecendo na cidade, o rei chegou a cogitar que o adivinho e o cunhado estavam confabulando contra ele, mas logo um mensageiro de Corinto chegou ao palácio com a confirmação de que Édipo era, de fato, filho adotivo de Pólibo e Mérope. Após tomarem conhecimento da verdade, Jocasta se enforca e Édipo cega a si próprio com um alfinete que retirara das vestes de sua mãe, exilando-se em seguida.

Édipo e a Esfinge. Ingres, 1827.

OUTROS MITOS

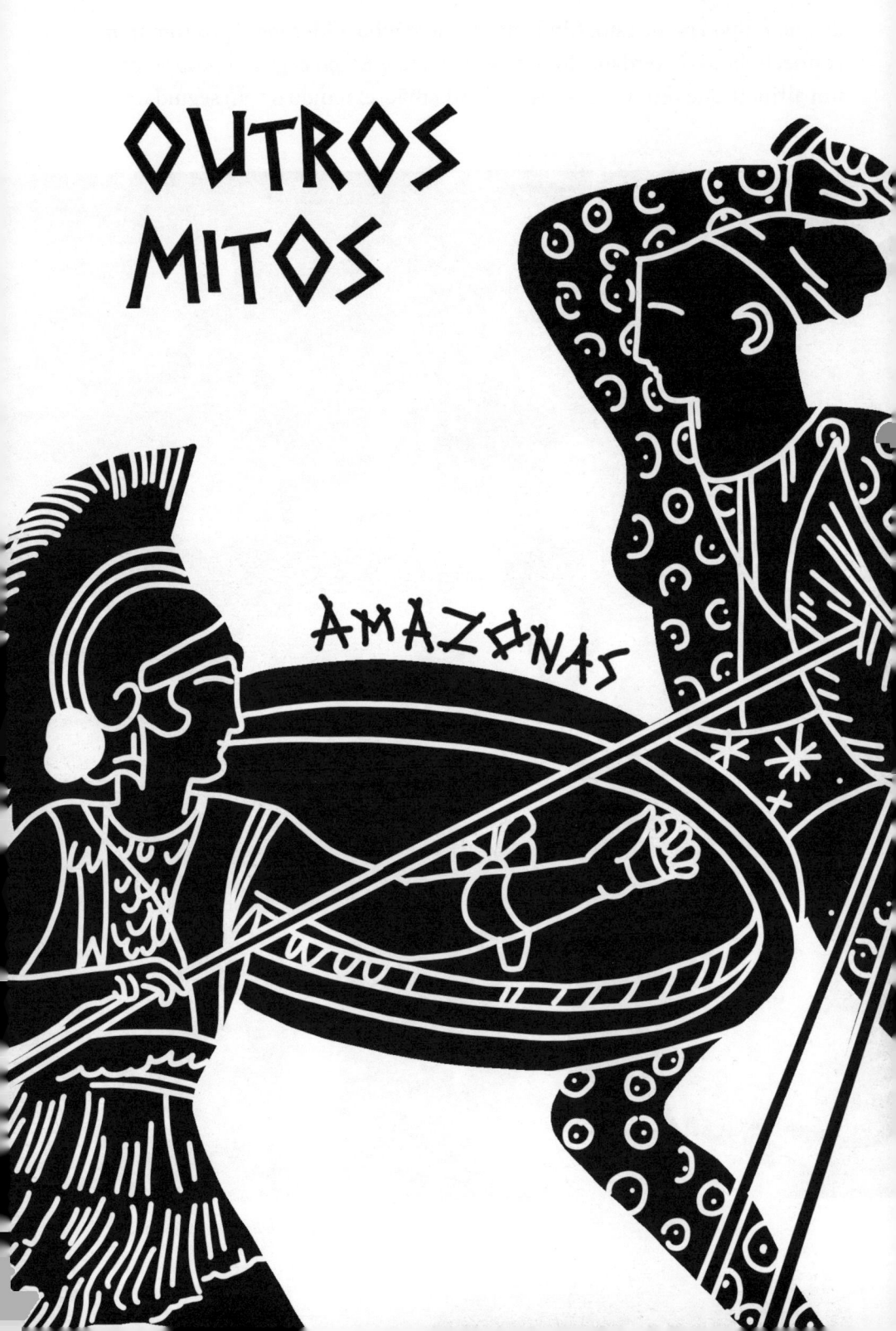

AMAZONAS

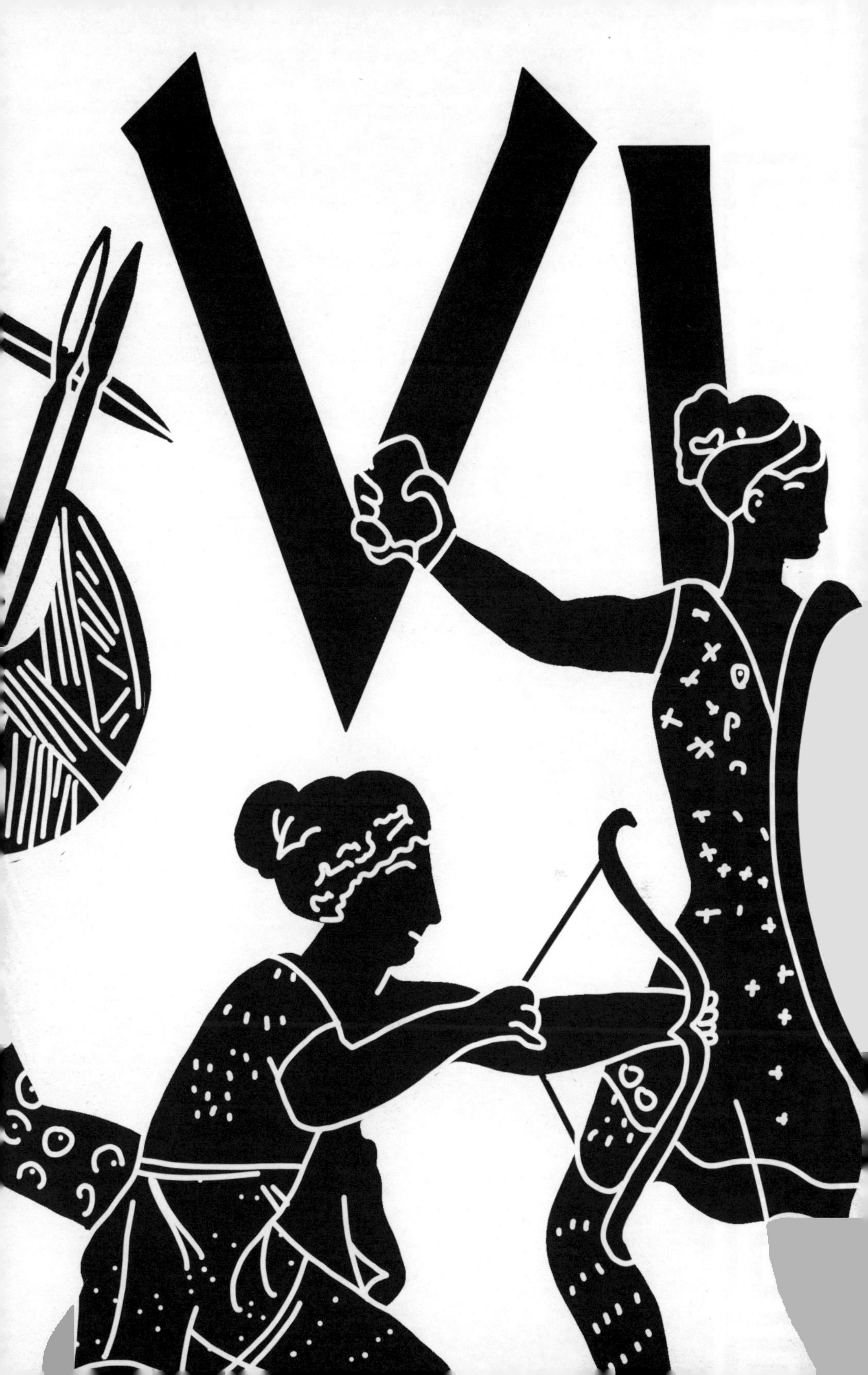
VI

Pentesileia, rainha amazona, ca. 380 a.C.
Atenas, Museu Nacional Arqueológico.

AS AMAZONAS

As amazonas eram mulheres guerreiras que habitavam terras longínquas, próximas à costa do mar Negro, onde hoje é a Turquia. Outras regiões aparecem como referência para a morada dessas mulheres: as fronteiras da Cítia, na Sarmácia, e até Temiscira, no rio Termodonte (hoje norte da Turquia). Segundo os mitos, as primeiras amazonas teriam nascido na Frígia, filhas de Ares e da náiade Harmonia, e viviam às margens do rio Amazonas. Conta-se que esse rio foi chamado, posteriormente, de Tanais, em homenagem a um filho da amazona Lisipa que tinha sido amaldiçoado por Afrodite devido à sua recusa em se casar. Como punição, a deusa o fez se apaixonar pela própria mãe, mas como ele resistiu à paixão e se recusou a se envolver em uma relação incestuosa, ele não viu outra saída a não ser tirar sua própria vida e, então, jogou-se no rio. Depois desse episódio, Lisipa levou suas filhas para a costa do mar Negro, em uma planície às margens do rio Termodonte e lá, cada uma das filhas (elas eram três) fundou uma cidade. Mais tarde, Lisipa estabeleceu a grande Temiscira e derrotou todos os povos até o rio Tanais. Com os espólios, ela pôde construir templos a Ares e a Ártemis. Os descendentes de Lisipa expandiram seu império para além do rio Tanais, a oeste, até chegarem a Trácia.[93]

As amazonas se destacavam principalmente pelas atividades da caça e da guerra, e pelo fato de que viviam praticamente sem homens, embora executassem atividades e funções sociais masculinas. Quando, no entanto, as amazonas se relacionavam com homens e engravidavam, elas criavam apenas as meninas.

Há uma hipótese que sugere que a etimologia do nome das amazonas em grego (*amazṓn*) signifique "sem seio", indicando que as mulheres se

---

[93] GRAVES (2018, vol. 2, p. 179-180).

mutilavam, amputando um dos seios para manejar melhor o arco. Elas deixavam o outro seio para amamentar os bebês que poderiam ter.

Amazonas caçando um urso com a ajuda de cães.
Ilustração do século XIX.

Curioso é o fato de as amazonas participarem de vários episódios da mitologia grega, mas, apesar de serem exímias guerreiras, sempre acabarem derrotadas pelos heróis que as enfrentam. Lembremos de Héracles: um dos seus trabalhos era conseguir o cinturão da então rainha Hipólita; de Teseu, que rapta Antíope e, em represália, o exército das amazonas invade Atenas, mas são derrotadas pelo exército ateniense; e da participação de outra rainha amazona, Pentesileia, na guerra de Troia.

Sobre Pentesileia, dizem que ela havia buscado refúgio e purificação em Troia depois de assassinar, sem querer, sua irmã Hipólita — essa é uma versão concorrente da morte de Hipólita —,[94] portanto, durante a guerra, ela foi aliada dos troianos, eliminando diversos guerreiros aqueus antes de ser morta por Aquiles. Assim que Aquiles removeu o elmo da cabeça da amazona, ele se apaixonou por ela e enviou seu corpo para os troianos, para que eles pudessem lhe dar os ritos fúnebres apropriados. Tersites, um dos aqueus, caçoou dos sentimentos de Aquiles por Pentesileia, e o Pelida enfureceu-se a tal ponto que acabou matando o companheiro.

Na mitologia romana, a amazona mais conhecida é Camila. Camila aparece na *Eneida* de Virgílio, e o autor a descreve como a rainha dos Volscos,

---

[94] Na versão de Apolodoro ela foi morta por Hércules em seu nono trabalho. Narramos essa versão no capítulo "Héracles – Hércules" deste livro.

povo itálico aliado de Turno e dos latinos e, portanto, inimigo de Eneias. Apesar de ter ampla atuação no canto XI da épica virgiliana, Camila recebe uma bela descrição no canto VII, no qual o poeta descreve suas maravilhosas e heroicas qualidades:

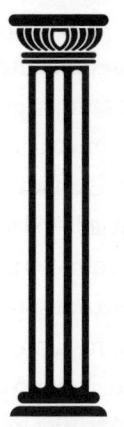

> *Vem depois destes Camila guerreira, das gentes dos volscos, capitaneando gentis combatentes. O fuso e as agulhas, dons de Minerva, jamais se lhe viam nas mãos delicadas; endurecera-as nos duros trabalhos dos campos de guerra, pronta a vencer na carreira até os ventos de rápido curso. Era capaz numa seara voar sobre as louras espigas sem lhes tocar ao leve ou abater sua bela postura; de atravessar o mar vasto suspensa nas túmidas ondas, sem nele as plantas tocar de mansinho nas cristas umentes. A juventude garrida e as mães velhas à porta corriam para admirá-la à passagem, pasmados da sua elegância, sem dela a vista apartar: como o manto de púrpura os ombros tão delicados lhe cobre, as madeixas fivela acomoda, de ouro, e a maneira de a aljava da Lícia trazer sempre ao lado, ou como brande uma lança de mirto com ponta de ferro.* [95]

É no canto XI, contudo, que sabemos da origem da amazona. O pai de Camila, Metabo, estava fugindo de sua cidade, Priverno, pois os seus próprios homens haviam conspirado contra ele. Levava Camila ainda bebê em seus braços, porém, ao chegar à margem de um rio, não conseguia atravessá-lo carregando o bebê no colo, por isso, amarrou-o numa lança e, fazendo uma prece a Diana, promete consagrar sua filha à deusa caso fosse bem-sucedido no que estava prestes a fazer. Ao finalizar sua prece, atira a lança com o bebê por cima do rio. A ponta da lança se finca na outra margem do rio Amaseno, carregando o bebê em segurança. O pai de Camila então atravessa o rio a nado e desamarra a criança da lança.

Metabo e Camila.
Jean-Baptiste Peytavin, 1808.

---

[95] VIRGÍLIO. *Eneida*: edição bilíngue. Tradução de Carlos A. Nunes. 2. ed. São Paulo: Editora 34, 2016. p. 507-509.

Ninguém dá abrigo a Metabo. O orgulho do homem o impedia, também, de morar de favor em alguma casa da cidade, por isso, vive com Camila como um pastor solitário de montes agrestes. Criou Camila em uma gruta e a alimentava com leite de égua. Assim que a menina começou a crescer, já pegava em armas e treinava caça com fundas, dardos e arco e flecha. Usando pele de tigre como roupa, Camila cresce e se torna uma linda mulher. Sua beleza atrai muitos pretendentes, mas a amazona permanece recusando todas as investidas, pois como fora consagrada a Diana, uma deusa virgem, também deveria permanecer virgem e imaculada.

Foi assim que Camila se tornou uma amazona habilidosa nas armas e aliou-se aos latinos, liderados por Turno, contra os troianos, liderados por Eneias. Ao lado de suas companheiras amazonas — Larina, Tula, Aca e Tarpeia — escolhidas por ela a dedo, Camila entra na guerra contra os troianos de modo violento, causando muitas baixas no exército inimigo. Contudo, ao descuidar-se por um instante — enquanto se deslumbrava com a armadura reluzente de um sacerdote troiano de Cibele —, sofre um ataque covarde de um aliado troiano chamado Arrunte, que suplica a Apolo que guie sua flecha contra Camila, que era um flagelo aos troianos. Apolo ouve a prece de Arrunte, e a seta disparada crava-se no peito direito de Camila, que imediatamente é amparada por suas estarrecidas companheiras amazonas. A amazona volsca falece, mas tal feito não sairá impune diante dos olhos de sua deusa patrona. Ópis, uma ninfa-arqueira, é enviada pela deusa Diana para vingar a morte de sua amada devota e, com um tiro certeiro, dispara uma flecha em Arrunte, perfurando suas entranhas e o matando imediatamente.[96]

A presença das amazonas na épica virgiliana explica-se porque a *Eneida* é um poema fundador, e, por isso, dialoga com outros mitos fundadores, como, por exemplo, a Guerra Ática, que trata da fundação de Atenas por Teseu, o herói responsável por unificar a região da Ática sob a liderança de Atenas, tudo isso após uma batalha contra as amazonas, que estavam tentando resgatar Antíope, uma amazona sequestrada por Teseu, enquanto este acompanhou Hércules durante seu nono trabalho.[97]

Outro motivo seria porque uma amazona chamada Clete havia ido em busca de Pentesileia, quando essa não voltou da Guerra de Troia — e nem poderia, pois fora morta por Aquiles —, e no meio do caminho sofreu um naufrágio, indo parar na costa da Itália. Acabou ficando por lá e, ao ter um filho chamado Caulon, deu o nome do lugar de Caulônia, hoje Calábria. Como esse mito colocava

---

[96] Ibid. p. 763-791.
[97] MAYOR, A. Did Amazons Roam Ancient Rome? *Antigone Journal*. Disponível em: <https://antigonejournal.com/about/>. Acesso em 06 fev. 2022.

o assentamento de amazonas na Itália mais ou menos no mesmo período em que Eneias se refugiava no Lácio, Virgílio pode ter tido a intenção de relacionar os dois mitos. Algumas hipóteses ainda sugerem que Camila tenha sido baseada em uma personagem histórica ou mitológica de povos itálicos como os volscos ou os etruscos, por exemplo, e da qual não temos conhecimento por nenhuma outra fonte.[98]

Com relação à historicidade da existência das amazonas, por muito tempo pensou-se que elas eram apenas seres míticos, contudo, descobertas recentes mostraram que apesar de os gregos as terem incorporado ao mito, projetando-as dentro do mundo helênico — de modo a retratá-las com armas, vestimentas e costumes gregos —, mulheres guerreiras ao estilo das amazonas já estavam presentes na região da Eurásia, do mar Negro, passando pelas estepes euroasiáticas, até chegarem à China e Índia.

Não obstante essa idealização inicial, ao passo que os gregos intensificavam as trocas com os povos que viviam no entorno do mar Negro e de regiões ainda mais orientais, as representações das amazonas começaram a ficar mais realistas, retratando-as com armas mais típicas dos povos locais, como arcos e machados de batalha. A arqueologia começou a corroborar essa teoria, pois descobertas de túmulos cítios mostraram pelo menos trezentos esqueletos de mulheres enterradas com suas armas. Além disso, foram achados em seus ossos ferimentos que indicam que elas, de fato, estiveram batalhando, como, por exemplo, ossos com flechas cravadas, cortes de machados, entre outras marcas.[99]

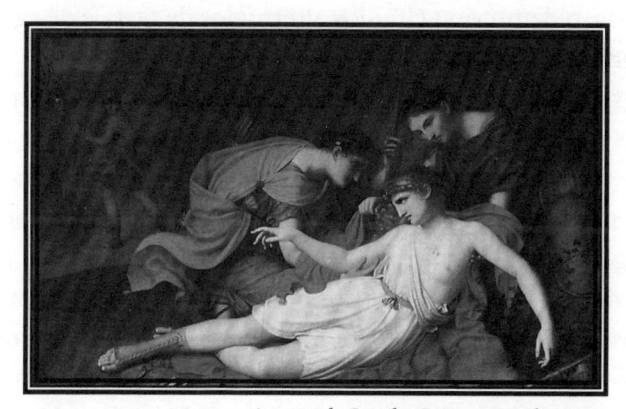

A morte de Camila. Gaspare Landi, 1809

[98] Ibid.
[99] MAYOR, A. Did the Amazons really exist? *TED-Ed*. Disponível em: <https://ed.ted.com/lessons/did-the-amazons-really-exist-adrienne-mayor>. Acesso em: 07 fev. 2023.

ATLANTIS – ATLÂNTIDA

Sabemos de Atlantis graças a Platão (c. 428-348 AEC) em seus diálogos *Timeu* (24e - 25d) e *Crítias* (108e-109c; 113c-121c). Segundo os relatos, Atlantis era uma cidade um tanto distante da Grécia, a oeste. Houve um momento em que a sua civilização se expandiu tanto que começou a avançar em direção à Grécia, tomando diversas cidades no caminho. Quando chegou à Grécia, a única potência que estava à altura do combate era Atenas — na época liderada por Sólon — que, de fato, saiu vencedora.

Sobre a origem de Atlantis, os diálogos contam que os deuses haviam feito a partilha da Terra, dividindo-a em partes maiores e menores, e Poseidon recebeu a região de Atlantis, que era maior que a Líbia e a Ásia juntas! Lá, ele gerou filhos com uma mulher mortal. Ao longo da ilha, em direção ao mar, havia uma planície belíssima, talvez a mais bela de todas, que era muito fértil. Nessa planície, havia uma montanha, onde residia um habitante que havia sido gerado logo nos primórdios da cidade. Ele se casara com uma mulher, e com ela teve uma única filha: Clito. Quando o pai e a mãe de Clito faleceram, Poseidon desejou-a e uniu-se a ela. Com o intuito de fazer uma cerca segura para protegê-la, o deus criou círculos alternados de terra e de água ao redor do monte onde ela habitava.

Além disso, Poseidon organizou, ele mesmo, a ilha: fez surgir de debaixo da terra duas nascentes de água (uma quente e outra fria), que corriam de uma fonte, e fez brotar na terra diversos alimentos. Gerou cinco gerações de varões gêmeos, dividiu a ilha em dez partes, e entregou o poder de cada uma para o gêmeo que nasceu primeiro, tornando-os reis; dos demais, fez governantes de vastos territórios e dos homens que lá habitavam. O primeiro rei, que era o primeiro gêmeo, foi Atlas, de quem deriva o nome da ilha e também do Oceano Atlântico. O segundo gêmeo era Eumelo, que dominava uma extremidade da ilha até as Colunas de Héracles (correspondentes ao Estreito de Gibraltar). Os gêmeos que nasceram depois foram Anferes e Evémon; os terceiros, Mnéseas e Autócton; os quartos, Elasipo e Mestor; os quintos, Azais e Diaprepes. Todos eles e seus descendentes governaram

Atlantis e outras ilhas que se estendiam da Coluna de Héracles até o Egito por muitas gerações.

As dinastias dos reis acumulavam riquezas incontáveis, de modo que nunca antes houvera reis tão ricos quanto os Atlantes. Muitas coisas eram importadas, por causa do império, porém a ilha fornecia tudo em abundância: cobre, madeira, animais, alimentos, pastagens, florestas. Além disso a ilha também exalava doces aromas de flores, folhas e de frutos, que forneciam óleos, bebidas e comidas.

Porque a terra era farta, os Atlantes conseguiram construir templos, residências reais, portos e estaleiros navais. Melhoraram todo o restante do território com engenharia: construíram pontes, canais para transportar ou mudar o curso das águas, edifícios, reservatórios de água, jardins, ginásios, muralhas revestidas de cobre etc. No centro da cidade, havia um hipódromo à parte, dedicado à corrida de cavalos — provavelmente em honra a Poseidon. A zona real da cidade contava com um templo dedicado a Clito e a Poseidon, cujo teto era de marfim e de ouro. No entanto, esse templo era inacessível, pois ao seu redor havia uma cerca de ouro. Perto do templo havia, ainda, estátuas de ouro, uma delas sendo a de Poseidon puxado por seis cavalos e acompanhado por cem nereidas montadas, cada uma, em golfinhos. No exterior do templo, erguiam-se estátuas para representar todas as mulheres e os descendentes dos dez reis primordiais.

Neste templo de Poseidon, havia uma placa de oricalco[100] que continha as leis que regiam a ilha, todas elas determinadas por Poseidon, embora o rei tivesse autonomia para governar como quisesse, desde que não desafiasse as leis. Nesse mesmo local, os reis se reuniam de cinco em cinco e de seis em seis anos, alternadamente, distribuindo entre si, de modo igual, ciclos de anos pares e ímpares. Durante essas reuniões, deliberavam sobre assuntos de interesse comum e verificavam se algum deles tinha transgredido alguma lei e, em caso afirmativo, julgavam-no.

Durante muitas gerações, os Atlantes obedeceram às leis, reverenciaram Poseidon e eram prudentes em seus pensamentos e ações. A virtude para eles era fundamental, e não eram seduzidos pelo número de riquezas que possuíam. Como mantinham-se firmes na temperança, no equilíbrio e na virtude, logo começaram a padecer por esses mesmos motivos, que os afastaram de sua natureza divina e os deixaram fanáticos. Então, quando a parte divina que possuíam começou a se extinguir, acentuando sua natureza humana,

---

[100] Metal muito valioso usado em Atlantis.

eles caíram em desgraça, incapazes de aceitar sua condição. Portanto, Zeus, percebendo o que se passava, decidiu aplicar-lhes uma punição para que eles se tornassem mais razoáveis e moderados.

Infelizmente, o diálogo platônico é suspenso abruptamente sem que saibamos o desfecho da punição de Zeus. Contudo, acredita-se que Atlantis fora destruída após um abalo sísmico muito forte, seguido de um dilúvio que acabou com várias cidades e quase destruiu a raça humana.

BELEROFONTE

Belerofonte era o jovem e belíssimo príncipe de Corinto, filho de Poseidon e Eurínome — que era esposa de Glauco, rei de Corinto —, mas ele almejava ser o melhor herói de todos os tempos: tão célebre a ponto de conquistar um lugar no Olimpo. Para tanto, ele determinou que domaria Pégaso, o cavalo alado que saiu da cabeça da Medusa quando ela foi morta por Perseu, e que era, até então, indomável.

Numa noite, ele visitou o templo de Atena e pediu para que ela lhe concedesse o poder para apaziguar o cavalo. Pela manhã, quando acordou, encontrou ao seu lado rédeas douradas, compreendendo que sua prece havia sido ouvida. Rapidamente, Belerofonte foi até a fonte onde Pégaso bebia água e, assim que o cavalo se abaixou para beber, ele jogou as rédeas sobre seu dorso, subjugando-o. Após essa conquista, Belerofonte sentiu que estava mais perto de se tornar um herói lendário.

Ele passou a treinar dia e noite. Porém, um dos treinos terminou com a trágica e acidental morte de seu irmão, Delíades, por suas próprias mãos. Desonrado, o herói foi exilado para Argos, onde o rei Proteu o recebeu e o purificou. A rainha Estenebeia, no entanto, apaixonou-se pelo jovem Belerofonte e tentou seduzi-lo, mas o herói recusou-a. Sentindo-se humilhada, Estenebeia inverteu os fatos e alegou para o rei que Belerofonte estava tentando possuí-la. Portanto, para recuperar a sua honra supostamente perdida, Proteu tramou a sua vingança: ele baniu o herói e o cavalo para a Lícia, fazendo Belerofonte carregar uma mensagem para o rei de lá, Iobates. O que o príncipe-herói não sabia era que essa mensagem decretava a sua própria morte.

Ao chegar à Lícia e entregar o decreto para Iobates, Belerofonte foi desafiado a derrotar a Quimera — um monstro terrível que cuspia fogo, parte leão, parte cabra e parte dragão —, que estava assolando a cidade. O plano do rei era derrotar o herói, mas Belerofonte viu uma oportunidade de conseguir a glória e a honra que tanto desejava. Assim, ele montou em Pégaso e juntos eles tiveram a visão aterradora e caótica da cidade arruinada pelo monstro. Enquanto o cavalo se esquivava do fogo que saía da Quimera, Belerofonte atirava suas flechas, até que, finalmente, Pégaso conseguiu voar bem perto da fera, e Belerofonte conseguiu lançar a flecha fatal.

Iobates ficou impressionado com o sucesso do herói, mas ainda deveria se livrar dele. Então, o rei atribuiu a ele outras árduas tarefas, como enfrentar guerreiros sanguinários, arqueiros excelentes etc. Contudo, todas as vezes, Belerofonte vencia com a ajuda do fiel Pégaso. Num dado momento, Iobates reconheceu que Belerofonte era um verdadeiro herói e chegou até a oferecer a mão de sua filha a ele. Todavia, os planos de nosso herói ainda eram os mesmos: ele não queria permanecer entre os mortais, mas residir entre os imortais.

Depois de todas essas tarefas, Belerofonte estava certo de que conseguiria seu lugar no Olimpo. Assim, ele voou em direção aos céus com Pégaso enquanto Zeus o observava aproximar-se da morada dos deuses, embriagado de insolência e desafiando as leis de sua própria condição. Para puni-lo, Zeus enviou um único moscardo para picar o cavalo. Quando Pégaso se contorceu com a picada do inseto, Belerofonte soltou-se das rédeas e caiu, retornando à terra. Dizem que, depois disso, Belerofonte vagou sozinho, ignorado pelos deuses e pelos homens. Pégaso, no entanto, ascendeu ao Olimpo, e Zeus o imortalizou como uma constelação.

Belerofonte matando a quimera.
Michel de Marolles, 1655.

CUPIDO E PSIQUÊ

Psiquê era a filha mais jovem dentre as três que um rei e uma rainha tinham. A beleza de Psiquê era tão grande que vinha gente de todas as partes do mundo apenas para vê-la. Os homens, principalmente, começaram a lhe ser tão devotos que se esqueceram das honras que deveriam dar à deusa Vênus. Isso não passou em branco à deusa do amor que, indignada e cheia de inveja, enviou seu filho, Cupido, para dar uma lição no que ela considerava ser uma beleza insolente.

Vênus pediu a seu filho que fizesse com que Psiquê se apaixonasse por um ser monstruoso. O deus alado, então, para seguir as ordens da mãe, encheu dois frascos com as águas do jardim de Vênus: uma água era amarga e a outra, doce. Invisível, Cupido foi até Psiquê, que dormia profundamente, contudo, quando derramou gotas de água amarga na boca da donzela, ela se mexeu e abriu os olhos, fazendo com que o deus se atrapalhasse com os objetos que carregava e se ferisse com uma de suas próprias flechas mágicas.

Cupido, contudo, terminou sua tarefa, derramando gotas da água doce nos cabelos da moça. Daí em diante, Psiquê viveu uma tortura: tinha uma beleza que estonteava todos, porém nenhum pretendente se propunha a tomar a mão da moça. Até suas outras irmãs, que não tinham beleza semelhante, foram tomadas como esposas de dois príncipes herdeiros. Os pais de Psiquê, o rei e a rainha, preocupados com a solteirice de sua filha, consultam uma pítia, isto é, uma sibila sacerdotisa de Apolo, para saber qual seria o destino da filha. O oráculo dá uma previsão terrível: a menina estava destinada a se casar com um monstro a quem nem os deuses nem os mortais conseguem resistir.

Psiquê, então, é levada para o cume de uma montanha para que o monstro a tomasse de uma vez como esposa. Todavia, Zéfiro, o vento do Oeste, leva Psiquê a um jardim encantado. Nesse jardim havia um palácio magnífico digno de um deus, com colunas de ouro e relevos de puríssimo mármore. Uma voz invisível dirigiu-se à moça e disse que aquele palácio era todo dela e que havia aposentos preparados especialmente para ela e que, quando quisesse, era só ir à sala de jantar que lhe seria servido o mais maravilhoso dos banquetes todos os dias.

E assim foi, mas o que Psiquê não contava é que seu marido, que pensava ser um monstro após a previsão do oráculo, chegaria à noite, na escuridão, e lhe seria tão gentil e carinhoso que lhe despertaria um profundo amor,

O arrebatamento de Psiquê.
William-Adolphe Bouguereau, 1895.

mesmo que lhe negasse terminantemente dar a conhecer sua identidade. Vivendo assim todos os dias, Psiquê começou a sentir saudades de seus parentes e vontade de compartilhar com eles todos os tesouros que ganhou do marido e estavam guardados nos salões do palácio. Pedia insistentemente ao marido, escondido nas penumbras da madrugada, que lhe trouxesse pelo menos suas irmãs para uma visita. Relutante, o marido assim concedeu, pedindo a Zéfiro que trouxesse as duas outras princesas.

Ao chegar à nova morada de Psiquê, as princesas ficaram com inveja de tudo o que sua irmã tinha e, movidas por esse motivo, começaram a incitar a moça a descobrir o mistério de quem seu marido realmente era. Disseram ter ouvido rumores de que o marido de Psiquê era um monstro-serpente que estava engordando Psiquê para depois devorá-la. Como o oráculo havia, de fato, sugerido que seu marido seria um monstro, Psiquê resolve acabar com o segredo de uma vez por todas.

Escondendo uma faca em suas vestes, a moça, numa certa noite, acende uma lamparina e, caso sob a luz se comprovasse que seu marido era realmente um monstro, ela o degolaria. Ao se aproximar do marido adormecido, todavia, ela avista a maravilhosa forma de Cupido, loiro, de peles brancas e sedosas, cabelos cacheados e corpo perfeito. Diante de tamanha maravilha, Psiquê se espanta e deixa cair óleo quente no deus, que, assustado, foge pela janela.

Vendo que o deus nunca mais retornaria, Psiquê resolve vagar em busca de algum dia poder encontrar o seu amado novamente. Numa dessas errâncias, entra em um templo de Ceres. Limpa o templo da deusa sem qualquer compromisso, mas a deusa, em retribuição por tal bondade, aconselha Psiquê a buscar contato direto com a própria Vênus, a fim de que encontre o marido perdido. Assim, Psiquê parte em direção ao templo de Vênus.

Chegando lá, a deusa não a recebe com gentileza, em vez disso, diz que, se Psiquê realmente deseja rever Cupido, ela precisa se mostrar capaz, e, por isso, lhe designa três trabalhos. A moça aceita o desafio. O primeiro trabalho era separar, em uma só noite, os grãos do celeiro do templo de Vênus, que estavam destinados às pombas em honra à deusa do amor. O trabalho é cumprido com a ajuda de Cupido que, de longe, influencia as formigas a ajudarem sua amada. O segundo trabalho é trazer uma amostra da lã de ouro de um rebanho de carneiros bravios que pastavam à margem de um rio. Com a ajuda do deus patrono desse rio, ela coleta a lã que ficou presa em arbustos e troncos de árvore e leva a Vênus. O terceiro trabalho, contudo, era o mais complicado.

Psiquê precisava descer ao mundo dos mortos para transportar uma caixa dada por Proserpina a Vênus. Nessa caixa haveria um pouco da beleza da consorte de Plutão. Assim Psiquê faz, mas, ao voltar, sua curiosidade falou mais alto, e acaba abrindo a caixa de Proserpina. Na caixa, contudo, não havia beleza, mas, sim, sono. Psiquê cai como se estivesse morta. Cupido, sem conseguir resistir mais, vai ao resgate de sua amada, a desperta do sono e aconselha a finalizar a última tarefa lhe dada por Vênus. Enquanto isso, o deus alado ascende ao Olimpo e pede a Júpiter que lhe conceda tomar Psiquê como sua mulher. Júpiter concede o pedido e manda Mercúrio buscá-la. Chegando ao Olimpo, a moça recebe ambrosia, o alimento dos deuses, e se torna imortal. Une-se eternamente a Cupido em um casamento divino e, mais tarde, com ele tem uma filha, chamada Voluptas (Prazer).[101]

---

[101] Resumido e adaptado de BULFINCH, T. *O livro de ouro da mitologia*: histórias de deuses e heróis. Harper Collins, 2018. p. 91-100.

FAETONTE E O CARRO DO SOL

Faetonte era filho de Clímene, uma ninfa filha de Oceano e Tétis, e do Sol (Hélio).[102] Após se gabar de ser filho da entidade solar para um jovem de sua idade, foi ridicularizado e acusado de acreditar em uma história fictícia. Revoltado com tal zombaria, Faetonte dirige-se à sua mãe e pede que lhe dê provas da veracidade da história que ela lhe contou. Ela faz um juramento diante dos próprios raios de sol e aconselha Faetonte a buscar ele mesmo seu pai.

O rapaz segue a recomendação de sua mãe e sobe às alturas, lugar onde se encontrava o resplandecente palácio do Sol. Ao chegar diante do trono, pergunta ao Sol se ele o reconhecia como filho. A divindade, coroada de raios solares, abraça Faetonte e diz que ele não só o reconhecia como filho, mas que para tirar as dúvidas de uma vez por todas da cabeça do rapaz, ele jurava lhe conceder qualquer pedido que o jovem lhe fizesse.

Sem demora nenhuma, Faetonte pede ao seu pai que deixe guiar seu carro solar, com o qual arrastava o sol pelo céu durante o dia. A divindade arrependeu-se de ter feito tal juramento e tenta convencer seu filho dos perigos que enfrentaria caso ousasse cumprir a tarefa que cabia somente a um deus imortal. Com teimosia, Faetonte insiste até o Sol ceder. As Horas, que frequentavam o palácio do Sol, arrearam os cavalos que puxavam a quadriga de ouro puro e diamantes, deixando tudo preparado para Faetonte. Os cavalos, contudo, eram muito fortes, velozes e difíceis de conter, pois exalavam fogo por suas ventas e eram indóceis às rédeas.

Estando tudo preparado, Aurora, a deusa do amanhecer, abre os portões para que a carruagem do Sol pudesse partir. Faetonte é lançado com ímpeto à abóbada celeste, assustando-se com os seres das constelações de Escorpião, Touro e Câncer. Não sabe como controlar os cavalos e, mesmo que soubesse, não tinha força para tal feito. Ao olhar para baixo, estando diante de gigantesca

---

[102] Aqui vamos considerar o deus-sol como Hélio (ou Sol, em latim) e não Apolo, uma vez que as duas entidades não eram usualmente identificadas uma com a outra até o período helenístico e romano. Cf. FONTENROSE, J. E. Apollo and the Sun-God in Ovid. *The American Journal of Philology*, vol. 61, nº 4, 1940, pp. 429-44.

altura, sente vertigem e treme de medo. Desejou nunca ter pedido tal coisa a seu pai, mas já era tarde demais!

Desvia do caminho que deveria seguir e faz Terra e Céus arderem com o mais infernal dos fogos. Até Plutão e Proserpina sentem chegar aos seus domínios subterrâneos o calor insuportável. Netuno e as divindades aquáticas não conseguem nem colocar a cabeça para fora d'água sem queimarem os cabelos. A situação fica tão crítica que a Terra (Gaia) recorre a Júpiter, o senhor do Olimpo. Ela suplica que resolva a situação, pois seus domínios estão sendo destruídos com as ardentes chamas do desgovernado carro do Sol.

Júpiter invoca o testemunho dos outros deuses e, com a anuência de todos, inclusive do próprio Sol, sobe à torre de onde espalhava nuvens e tempestades aos seres humanos e lança um raio certeiro em Faetonte. O rapaz despenca de lá de cima, ardendo em chamas. O rio Eridano o recebe, e suas irmãs, as ninfas helíades (filhas de Hélio), lamentam seu destino, transformando-se nas árvores conhecidas como choupos. As lágrimas das helíades se tornavam âmbar quando caíam na água do rio que margeavam.

Faetonte derrubado pelos raios de Zeus.
Gravura francesa, séc. XVIII.

CRIATURAS PRODIGIOSAS

QUIMERA

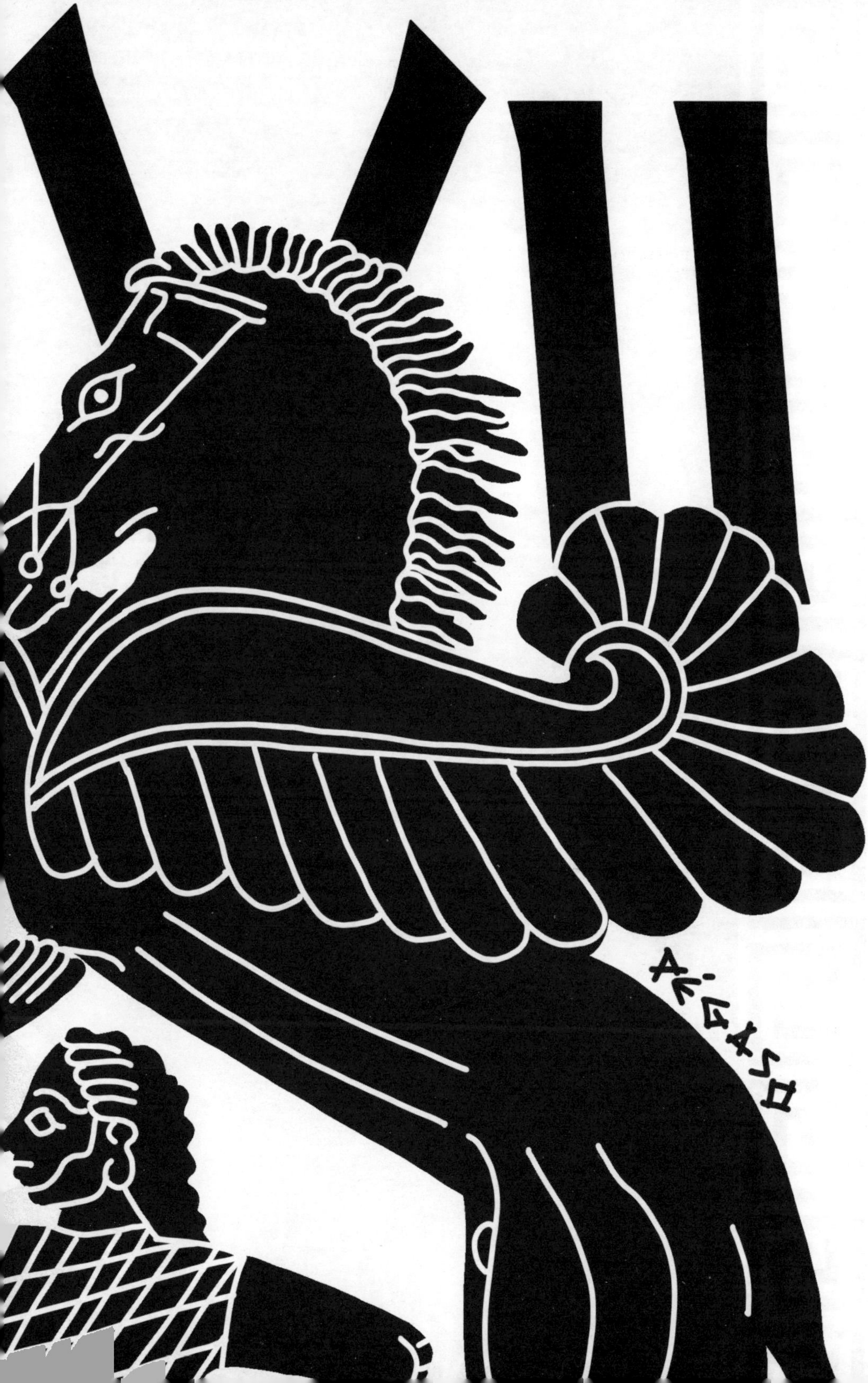
VIII

Medusa. Harriet Goodhue Hosmer, 1854.
Minneapolis, Instituto de Artes de Minneapolis.

CENTAUROS

A educação de Aquiles pelo centauro Quíron.
Jean Baptiste Regnault, 1782.

Os centauros eram criaturas híbridas: tinham tronco e cabeça de homem, mas corpo de cavalo. Acreditava-se que eles eram filhos do rei Íxion com uma nuvem, que era, na realidade, um espectro de Hera. De acordo com a *Biblioteca* de Apolodoro (Ept. 1.20), Íxion se apaixonou por Hera e tentou possuí-la, mas a deusa negou-o e contou para Zeus sobre o acontecido. Para verificar as alegações da veneranda esposa, Zeus, então, criou uma nuvem que se assemelhava a Hera e posicionou-a bem ao lado de Íxion, em seu leito. O rei, depois, vangloriou-se por ter dormido com a deusa, e Zeus castigou-o: amarrou-o a uma roda que era constantemente movida por ventos. Quanto à nuvem, ela engravidou e gerou o primeiro centauro. Este, por sua vez, ao chegar à idade adulta, gerou novos centauros com éguas da Magnésia.

    Os centauros habitavam principalmente a região da Tessália, na Magnésia, e eram considerados selvagens: eles moravam em cavernas, caçavam para se alimentar e se defendiam com pedras e galhos. Dizem, ainda, que eles costumavam raptar mulheres de tribos vizinhas. O único centauro que se destacava e que se distinguia de seus semelhantes era Quíron; ele era civilizado e versado nas artes, e foi tutor de diversos guerreiros e heróis.[103]

---

[103] GRAVES (2018, vol. 2, p. 179-180).

CILA E CARÍBDIS

Na mitologia, Cila e Caríbdis geralmente aparecem juntas, pois ambas são monstros marinhos que habitam lados opostos do estreito de Messina, que separa a península itálica da Sicília. Ambas as feras ameaçavam os marinheiros que passassem pela região. No topo do rochedo que ficava ao lado de Caríbdis, havia uma figueira — a qual serviu de escape a Odisseu quando ele tentava se desvencilhar do monstro pela segunda vez.

Cila, segundo Homero (*Odisseia*, Canto XII, vv. 89-92), era um monstro que possuía doze pés pendurados, seis pescoços longos e, sobre cada um, uma horrível cabeça, cada uma com três filas de dentes afiados. Sua voz era como ladros de cachorros. Habitava os rochedos do lado oposto de Caríbdis e era filha de Cráteis.

Caríbdis (*ibid*, id, vv.104-107), por sua vez, era um gigante redemoinho que puxava e soltava uma grande quantidade das águas marinhas três vezes ao dia. Por essa razão, era provavelmente um *daímon* (espécie de divindade) relacionado às marés. Uma versão estabelece Caríbdis como prole de Gaia e Pontos, mas, uma outra, apresenta-a como uma mulher que roubou e comeu alguns dos bois que Héracles trazia após um de seus trabalhos. Quando a criatura também tentou atacar Héracles, incitou a ira de Zeus, que fulminou-a com um raio e lançou-a às profundezas do mar, tornando-a um monstro.[104] Os Argonautas também passam pelo estreito de Cila e de Caríbdis, mas são auxiliados por Tétis, a mando de Hera.[105]

---

[104] THEOI. *Kharybdis*. Disponível em: https://www.theoi.com/Pontios/Kharybdis.html. Acesso em: 06/01/2023.; THEOI. *Skylla*. Disponível em: https://www.theoi.com/Pontios/Skylla.html. Acesso em: 06/01/2023.

[105] *Argonáuticas* (4.783-832).

CICLOPES

A primeira geração de Ciclopes foi uma tribo primitiva de gigantes imortais que forjaram os raios de Zeus. Eles eram filhos de Urano e Gaia, o Céu e a Terra, e irmãos dos Hecatônquiros. Sua característica mais marcante era o único olho que tinham bem no centro da face. Quando os titãs destronaram Urano, eles aprisionaram os Ciclopes no Tártaro. Depois, quando Zeus ascendeu ao trono, libertou-os e, como gratidão, eles presentearam-no com o raio, deram a Poseidon o tridente e a Hades o elmo da invisibilidade.[106]

Os Ciclopes mais jovens, que protagonizam eventos da *Odisseia*, por exemplo, também são uma raça primitiva e são caracterizados por apenas um olho. No entanto, eles habitavam cavernas na ilha Hipereia, criavam rebanhos e alimentavam-se de carne humana. De acordo com a *Odisseia* (Canto IX, vv. 106-249), eles tinham alguma relação de parentesco com os Gigantes, nascidos de Gaia a partir do sangue que jorrou do membro decepado de Urano. Polifemo, no entanto, o mais famoso dessa tribo era filho de Poseidon.[107]

CÉRBERO

Na Teogonia de Hesíodo (v. 310-312), Cérbero é o terrível cão de cinquenta cabeças que habita o Hades, filho dos monstros Tífon e Equidna. Outras versões, como a encontrada na Biblioteca de Apolodoro (2.5.12) indicam que o cão tinha apenas três cabeças, cauda de dragão e, nas costas, cabeças de diversas serpentes. Ele guardava a entrada do submundo, impedindo que as almas dos mortos escapassem e que intrusos adentrassem os portões do Hades.[108]

---

[106] *Teogonia* (vv. 139-146).
[107] THEOI. *Kyklopes*. Disponível em: https://www.theoi.com/Titan/Kyklopes.html. Acesso em: 06/01/2023.; THEOI. Kyklopes. Disponível em: https://www.theoi.com/Gigante/GigantesKyklopes.html. Acesso em: 06/01/2023.
[108] THEOI. *Kerberos*. Disponível em: https://www.theoi.com/Ther/KuonKerberos.html. Acesso em: 08/01/2023.

Plutão e Cérbero.
Giovanni Jacopo Caraglio, 1526.
The MET Museum.

ESFINGE

A Esfinge era uma criatura com corpo de leão, cabeça e tronco de mulher, asas de águia e, de acordo com algumas versões, cauda de serpente. Ela fora enviada pelos deuses como uma praga para a cidade de Tebas com o propósito de castigar a *pólis* por seus crimes antigos. Ela se alimentava dos jovens e daqueles que não eram capazes de desvendar seus enigmas. Édipo foi o único a conseguir desvendar a charada, fazendo com que o monstro se atirasse do alto de uma montanha em desespero. Na *Teogonia* (v. 325-326), ela é filha da Quimera e de Ortro, mas na *Biblioteca* (3.5.8) é filha de Típon e Equidna.[109]

EQUIDNA

Equidna era filha de Ceto e Fórcis (Teogonia, vv. 295-303). Sua aparência era a de um terrível dragão com cabeça e tronco de mulher e cauda de serpente. Ela era a consorte de Típon, com quem gerou o Cérbero, a Hidra, a Quimera e a Esfinge, por exemplo.[110]

GIGANTES

Os gigantes eram criaturas enormes, filhos do sangue que jorrou do pênis castrado de Urano sobre Gaia. Eles eram representados como guerreiros em suas armaduras, segurando suas armas, ou, de acordo com a

---

[109] THEOI. *Sphinx*. Disponível em: https://www.theoi.com/Ther/Sphinx.html. Acesso em: 08/01/2023.

[110] THEOI. *Echidna*. Disponível: https://www.theoi.com/Ther/DrakainaEkhidna1.html. Acesso em: 08/01/2023.

tradição homérica presente na *Odisseia* (VII.59), como uma espécie de homens selvagens que habitavam a região da Trinácia, a oeste do território grego. Na tradição hesiódica, os gigantes eram figuras divinas (*Teogonia*, v. 185). Certa vez, Gaia teria incitado sua prole a declarar guerra contra os deuses olímpicos, mas eles foram derrotados. Essa guerra ficou conhecida como Gigantomaquia.[111]

GÓRGONAS

As Górgonas eram três entidades poderosas filhas de Fórcis e Ceto (*Teogonia*, v. 274-279). Elas eram: Esteno, Euríale e Medusa, a única mortal e a mais famosa entre elas. Quando Perseu decapita Medusa, da cabeça dela saem o cavalo alado Pégaso e o gigante Crisaor, que seriam fruto de sua união com Poseidon. Conta-se que, a princípio, Medusa era uma jovem princesa belíssima que atraiu a atenção de Poseidon. O deus possuiu-a em um dos templos de Atena; por essa razão, a deusa castigou-a, transformando seus lindos cabelos em serpentes, apesar de a moça ter sido, na verdade, uma vítima. Isso fez com que Medusa se tornasse horrível em sua aparência e todos que a olhassem diretamente fossem transformados em pedra.[112]

---

[111] THEOI. *Gigantes*. Disponível em: https://www.theoi.com/Gigante/Gigantes.html. Acesso em: 08/01/2023.
[112] THEOI. *Gorgones & Medousa*. Disponível em: https://www.theoi.com/Pontios/Gorgones.html. Acesso em: 08/01/2023.

Medusa.
Séc. XVI.
Rijks Museum.

DVSA PHORCI   FILIA, C   HAB
REOS CVM   EA NEPTVNVS CONCV
IN TEMPLO   MINERVÆ, QVARE TVR

GREIAS

Detalhe de *Perseu e as Greias*.
Edward Burne-Jones, 1892.

As Greias eram duas — ou três — irmãs, filhas de Ceto e Fórcis, que já nasceram com cabelos grisalhos; por essa razão, elas eram conhecidas como "as grisalhas" ou "as anciãs". Segundo Hesíodo (*Teogonia*, v. 270-273), seus nomes eram Penfredo e Ênio, e elas também eram irmãs das Górgonas. Elas eram representadas como velhas bruxas que compartilhavam um mesmo e único olho e um mesmo e único dente. Como eram as guardiãs do caminho que levava às Górgonas, Perseu dirigiu-se primeiro a elas em sua empreitada para derrotar a Medusa. Para convencê-las a dizer-lhe a direção correta a seguir, o herói furtou o olho das criaturas até obter a sua resposta.

HARPIAS

As Harpias eram entidades que representavam as repentinas e fortes rajadas de vento. Elas eram filhas de Taumas e da oceânide Electra (Teogonia, vv. 265-267) e irmãs da mensageira dos deuses, Íris. Elas eram mulheres aladas com corpo de pássaro e, como aves de rapina, capturavam coisas e pessoas da terra para o Olimpo a mando de Zeus; elas eram, inclusive, conhecidas por serem "os cães de Zeus".[113]

Caçada de Harpia.
Gobert, 1830.

---

[113] THEOU. *Harpyiai*. Disponível em: https://www.theoi.com/Pontios/Harpyiai.html. Acesso em: 08/01/2023.

HIDRA DE LERNA

A Hidra era um monstro aquático, com nove cabeças e corpo de dragão, que habitava um pântano em Lerna, na região da Argólida. Era filha de Tífon e Equidna. A cada cabeça que lhe era decepada, cresciam mais duas no lugar, como Héracles descobriu, lutando contra ela em um de seus doze trabalhos.

Dizem que a Hidra foi criada por Hera para matar Héracles. Quando os dois estavam frente a frente, Hera enviou um caranguejo enorme para ajudar a Hidra, mas Héracles logo o esmagou. Então Hera transformou-o na constelação de Câncer e a Hidra na Constelação de Hydra.[114]

Hércules e a Hidra de Lerna.
Antonio Tempesta, 1608.

---

[114] THEOI. *Hydra Lernaia*. Disponível em: https://www.theoi.com/Ther/DrakonHydra.html. Acesso em: 08/01/2023.

LEÃO DE NEMEIA

O leão de Nemeia era um grande leão treinado por Hera para assolar a humanidade, descendente de Ortro e de Quimera (*Teogonia*, vv. 326-332). Ele habitava a cidade de Nemeia, na região da Argólida. Sua pele era impermeável, portanto, nenhuma arma podia perfurá-la. Somente Héracles conseguiu vencê-lo, pois em vez de investir contra ele com uma lança, por exemplo, o herói sufocou-o. Depois que a fera pereceu, Hera transformou-o na constelação de Leão.[115]

QUIMERA

A Quimera era um monstro que assolava a região da Lícia, na Anatólia. Ela cuspia fogo com o corpo, tinha uma cabeça de leão e uma de cabra, mamas de cabra e cauda de serpente (ou de dragão). Era filha de Tífon e de Equidna. Certa vez, o rei da Cária enviou o poderoso herói Belerofonte para acabar com a criatura; com a ajuda do cavalo Pégaso, ele conseguiu matar a besta.[116]

PÉGASO

Pégaso era um cavalo branco e alado, imortal, que nasceu da cabeça decepada da Medusa junto com o gigante Crisaor. Ele foi domado pelo herói Belerofonte e com ele viveu grandes aventuras, vencendo muitas provas, mas

---

[115] THEOI. *Leon Nemeios*. Disponível em: https://www.theoi.com/Ther/LeonNemeios.html. Acesso em: 08/01/2023.

[116] THEOI. *Khimaira*. Disponível em: https://www.theoi.com/Ther/Khimaira.html. Acesso em: 08/01/2023.

depois ascendeu ao Olimpo e se tornou o portador dos raios de Zeus, que o transformou em uma constelação que levava o mesmo nome.[117]

Pégaso e Mercúrio.
Johann WilhelmBaur, 1682.

[117] THEOI. *Pegasos*. Disponível: https://www.theoi.com/Ther/HipposPegasos.html. Acesso em: 08/01/2023.

SIRENAS

As sirenas, ou sirenes, acreditava-se, eram filhas da musa Melpomene com o rio Aqueloo, e seus nomes eram Pisínoe, Agláope e Telxepia. Uma delas tocava flauta; a outra, a lira, e a terceira cantava. Com essas habilidades, elas conseguiam atrair os marinheiros que passavam perto de sua ilha — que estava localizada entre a ilha de Capri e a costa da Itália — e seduzi-los a permanecerem lá. Essas criaturas eram um pouco diferentes das sereias que fazem parte do nosso imaginário hoje, pois elas possuíam, na verdade, asas e corpo de pássaro; ou seja, eram aves com cabeça de mulher.

Detalhe de *Ulisses e as sirenas*. John William Waterhouse, 1891.

Ao que tudo indica, as sereias — identificadas com as sirenas da Antiguidade — começaram a ser representadas como metade mulher e metade peixe a partir do período helenístico, embora a representação das sirenas com corpo de pássaro tenha perdurado pelo menos até o período bizantino. Nos bestiários da Idade Média, contudo, as sereias e as sirenas convergiram totalmente para as mulheres-peixe que conhecemos hoje em dia.[118] Além disso, elas eram terríveis e mal-intencionadas e devoraram os homens que seduziam.

Conta-se que elas eram damas de companhia de Perséfone e estavam com ela quando Hades a raptou. Depois disso, Deméter as teria transformado em ave como castigo para puni-las, pois elas não haviam ajudado sua filha e impedido o sequestro. A deusa também teria estabelecido que elas continuariam encantando todos com o seu canto, mas quando alguém conseguisse escapar do feitiço do canto das sirenas, elas morreriam. Outra versão diz que foi Afrodite quem as puniu, pois elas haviam determinado que continuariam

---

[118] WICHMANN, A. History of Mermaids and their Origins in Ancient Greek Sirens. GREEK REPORTER. Disponível em: <https://greekreporter.com/2022/09/03/history-of-mermaids-and-their-origins-in-ancient-greek-sirens/> . Acesso em: 09 fev. 2023.

virgens, menosprezando, assim, o domínio da deusa. Uma terceira versão, no entanto, apresentada por Ovídio, sustenta que elas mesmas queriam ser transformadas em aves para ajudar na busca por Perséfone. Lembremos que antes de Odisseu, os Argonautas também passaram pela ilha das sirenas.[119]

TÍFON

Tífon — ou Tifão — é uma das criaturas primordiais, um gigante alado que tentou rebelar-se contra Zeus, mas acabou derrotado e preso no Tártaro. Sua força era como a de uma tempestade. Ele tinha forma humana da cintura para cima, porém, no lugar das pernas, tinha duas serpentes. Seus dedos também eram como cabeças de serpente, suas orelhas eram pontudas e seus olhos brilhavam como o fogo. Ele era filho dos titãs Tártaro e Gaia (*Teogonia*, v. 820).

---

[119] *Biblioteca* (Epit. 7, 7.18-19); GRAVES (2018, vol. 2., pp. 506-507).

Tornado–Zeus Battling Typhon.
William Blake, 1795.

CURIOSIDADES

VIII

O Gaulês Moribundo, ca. 220-210 a.C.
Roma, Museu Capitolino.

GLADIADORES

Os gladiadores sempre despertaram fascínio em todos que alguma vez já tiveram contato com a história da Roma Antiga. Talvez isso se deva à monumentalidade dos anfiteatros romanos — dos quais o Coliseu é o exemplo mais famoso —, em que as lutas gladiatórias aconteciam.[120] Outro fator que contribuiu para tornar a história dos gladiadores tão irresistível é a possibilidade de ascensão social que homens pobres, estrangeiros e até mesmo escravos poderiam ter por meio de bons desempenhos nas lutas e, posteriormente, como professores das escolas gladiatórias. Essa visão alimentou muitas correntes de pensamento como a romântica e a marxista, sendo Espártaco — um gladiador que liderou uma grande revolta — o símbolo máximo do poder de sublevação das massas.[121]

De qualquer modo, nosso foco aqui é matar a curiosidade de nossos leitores a respeito das origens e do fim desse fenômeno histórico do mundo antigo: as gladiaturas. O que sabemos com mais ou menos alguma certeza é que os jogos estavam relacionados com as honras fúnebres de pessoas importantes.[122] Para homenagear o falecido, financiava-se jogos fúnebres, que eram oferecidos, tanto ao morto quanto aos que assistiam, como um presente (*munus* em latim), e faziam parte das obrigações fúnebres. A partir daí a palavra *munus* começou a ter um sentido mais abrangente e passou a se referir aos jogos (*ludi*) em honra aos deuses, com performances teatrais e corridas de carruagens, e aos espetáculos gladiatórios.[123]

---

[120] SILVA, M. A. O. Resenha de "Gladiadores na Roma Antiga: dos combates às paixões cotidianas". *História*, São Paulo, v. 26, n. 1, p. 203-206, 2007. p. 203.
[121] Ibid. loc. cit.
[122] DUNKLE, R. *Gladiators*: Violence and Spectacle in Ancient Rome. Nova Iorque: Routledge, 2008. p. 6
[123] Ibid. loc. cit.

Alguns teóricos, contudo, apontam que, no começo, essas obrigações funerárias feitas por meio dos jogos eram uma espécie de sacrifício humano oferecido aos mortos.[124] Tertuliano, um autor cristão da segunda metade do século II EC, diz que os antigos achavam que esse tipo de espetáculo era uma honra aos mortos, pois as almas dos falecidos eram favorecidas com o derramamento de sangue humano, e que usavam escravos ou cativos que consideravam portadores de um mau-caráter como sacrifício em seus rituais funerários, mas que, posteriormente, eles decidiram mascarar o ato religioso como entretenimento.[125] Embora a opinião de autores cristãos sobre práticas pagãs deva sempre ser interpretada com desconfiança, essa teoria ainda hoje é aceita por alguns acadêmicos, mas outras somam-se a ela, como, por exemplo, a de que as performances do anfiteatro eram uma ferramenta romana de controle político. A famosa expressão "pão e circo" remete a esses grandes eventos nos quais, além do entretenimento, eram fornecidos grãos à população. Além disso, no período do Império, os jogos gladiatórios estavam associados ao culto imperial.[126]

Seja como for, jogos em honra aos mortos eram um costume comum de vários povos ao longo do Mediterrâneo, sendo os gregos antigos os expoentes dessa prática.[127] Já na *Ilíada* de Homero podemos ler sobre os jogos funerários que Aquiles fez em honra a Pátroclo. Seguindo a lógica da *aemulatio*, Virgílio na *Eneida* narra jogos semelhantes feitos a Anquises por Eneias. Como as modalidades que aconteciam nos jogos funerários dos gregos, o combate de gladiadores pode ser visto como uma competição atlética.[128]

Uma vez que era um evento muito sangrento, mostrando explicitamente mutilações e mortes de gladiadores, matança de animais (*venatio*, em latim) e seu inverso, animais matando gladiadores, naturalmente a sensibilidade dos cristãos primitivos foi uma das causas do declínio dos jogos, conforme o império se cristianizou. Além de Tertuliano — já citado —, Santo Agostinho também condenou amplamente a prática, como pode ser visto em seu livro *Confissões*, além de muitos outros autores.[129]

---

[124] Ibid. p. 10.
[125] Ibid. loc. cit
[126] Ibid. p. 11.
[127] Ibid. p. 13.
[128] Ibid. p. 14.
[129] Confira a edição de *Confissões de Agostinho de Hipona* lançada pelo nosso selo Sperare. Verifique a disponibilidade em nossos canais oficiais.

Gladiador segurando tridente e sorrindo.
Stefan Bakalowicz, séc. XIX.

Além da violência, os cristãos primitivos alegavam que os jogos estavam conectados à idolatria de deuses pagãos como Júpiter e Saturno. Diziam que uma estátua de Júpiter Latino era colocada na arena e lavada com o sangue derramado.[130] Por fim, acadêmicos dizem que, com isso, houve, de fato, uma mudança no gosto popular, mas que obviamente essa mudança foi gradual, até que o fim dos jogos gladiatórios, enquanto instituição, finalmente aconteceu depois de quase sete séculos de atividade.[131]

MULHERES ERUDITAS DA ANTIGUIDADE

Grandes mulheres da Antiguidade.
Frederick Dudley Walenn, séc. XIX.

Engana-se quem pensa que na Antiguidade todas as mulheres seguiam regras sociais que as relegavam para as tarefas domésticas e para os ofícios delicados como bordar, tecer e cozinhar. Muitas mulheres ocuparam posições de destaque e foram protagonistas de acontecimentos históricos. Trazemos para vocês, neste capítulo, o exemplo de três mulheres que alcançaram grandes feitos de erudição, seja no campo das ciências — termo anacrônico, mas usado aqui de modo generalizante — ou das artes.

---

[130] DUNKLE, R. *op. cit.* p. 201.
[131] Ibid. p. 206.

HIPÁTIA

Hipátia. Julius Kronberg, 1889.

Hipátia foi uma filósofa neoplatônica. Ela nasceu em Alexandria entre 350-370 EC de uma família aristocrata. Seu pai, Téon de Alexandria, era matemático, mas também tinha grande interesse por astronomia, disciplinas que ensinou para a filha em sua juventude. Posteriormente, Hipátia se dedicou à filosofia ao mesmo tempo em que lecionava astronomia e matemática, e possuía um grupo de alunos diverso, que englobava homens e mulheres, cristãos, pagãos e judeus. Isso se deu graças à localização de Alexandria, que era uma cidade portuária e recebia um enorme fluxo de pessoas o tempo todo; com tamanha circulação, o fluxo de ideias também se expandiu. Ela dirigiu um estabelecimento para ensinar filosofia, mas também o fazia nos museus — que antigamente eram centros de estudo — e na grande biblioteca da cidade. Além disso, participava ativamente da vida política de Alexandria, frequentando as assembleias e ministrando palestras.

Como acontece com muitas figuras da Antiguidade, pouco nos restou acerca da vida de Hipátia. As fontes que se referem a ela são, em maioria, homens e de repertórios e práticas diferentes; por exemplo, há fontes eclesiásticas e fontes pagãs, e a abordagem que conferem à filósofa diverge; cada uma mantendo seus devidos interesses. No entanto, há concordância no que tange à morte de Hipátia. Em primeiro lugar, vale dizer que, apesar do caldeirão político, cultural e religioso que era Alexandria na época em que Hipátia estava em atividade, as fontes indicam que ela não dava grande importância para as divergentes preferências religiosas, pois fazia a leitura da religião através do pensamento filosófico e lecionava a seus aprendizes independentemente de suas crenças (como já mencionado). Contudo, ela se envolveu em uma polêmica com os cristãos, e foi isso que lhe trouxe certa atenção.

Em 412 EC, o bispo Cirilo foi eleito em Alexandria, e ele não era tão tolerante quanto os seus antecessores. As fontes dizem que ele foi, gradualmente, atacando os outros grupos não cristãos. Como Hipátia estava presente nesses grupos, isso incomodava Cirilo. Fontes posteriores à morte dela afirmam que ele estava envolvido em sua morte, que se deu da seguinte maneira: um dia, em 415 EC, chegando a sua casa, Hipátia foi abordada por um grupo de parabolanos — integrantes do exército cristão, que auxiliava pessoas em necessidade e enfermos, mas que também servia para impor o poder cristão por meio da intimidação e da violência —, que a retiraram de sua carruagem e a levaram para um outro lugar, onde ela foi despida e apedrejada. Depois, o que restou do seu corpo foi incinerado. Houve boatos sobre Hipátia ser uma feiticeira e praticante de ocultismo, mas seu assassinato deve ter se dado por causas políticas, visto que ela tinha uma relação de confiança com Orestes, o governador de Alexandria, que depois se desentendera com Cirilo.

Infelizmente, nenhum trabalho escrito de Hipátia sobreviveu até nossos dias e, por essa razão, ainda se discute sobre o impacto e a importância de sua produção para a filosofia da época. No entanto, o seu nome é o primeiro registro que temos de uma mulher que atuava na área da matemática e da astronomia.[132]

---

[132] ARCHAI #51. *Hipátia*. [Locução de:] Marcela Diniz. Entrevistado: Nathalia Monseff Junqueira. Archai, 18 fev. 2022. Podcast. Disponível em: <https://open.spotify.com/episode/30z0KG455ks2jN-ZzEKL2lo?si=cf1e3fb9a00c438d>. Acesso em; 05 jan. 2023.

SAFO

> *Eros de novo — deslassa-membros — me agita,*
> *dulciamara inelutável criatura.*[133]

Safo e Erina em um jardim em Mitilene.
Simeon Solomon, 1864.

Safo é, possivelmente, a primeira personalidade feminina que vem à tona quando pensamos nas mulheres da Antiguidade grega. Embora hoje ela seja referência para os estudos acerca da poesia do período arcaico (c. 800-480 AEC), vale lembrar que ela não era a única mulher de seu tempo a atuar nessa área — ou mesmo de épocas anteriores ou posteriores ao período em que estava em atividade. A questão que a torna especial é que muito se perdeu através do tempo, mas Safo foi uma das únicas que sobreviveu e chegou até nós por meio de transmissão direta (papiros e manuscritos, por exemplo) e indireta (comentários e citações em outros escritos antigos) e que teve a sua obra e reputação preservadas pelas edições da Biblioteca de Alexandria. O corpus poético de Safo do qual temos conhecimento é consideravelmente fragmentário (há cerca de duzentos fragmentos, dentre os quais encontra-se apenas um poema completo), mas, ainda assim, permite que tenhamos acesso a uma parcela de sua obra.

---

[133] Fragmento 130, tradução de Giuliana Ragusa (2021, p. 100). Cf. referência completa na bibliografia deste livro.

De família aristocrata, Safo nasceu em 630 AEC, em Ereso, a oeste da ilha de Lesbos, mas passou sua vida em Mitilene. Ela protagonizou, junto a outros grandes nomes, o gênero poético denominado *mélica*. Esse gênero era, na verdade, a lírica propriamente dita, pois englobava canções cantadas ao som da lira. Contudo, preferimos o termo *mélica* quando nos referirmos à poesia deste período da Grécia, de modo a evitar associações com a definição da lírica moderna, pois a mélica grega não era um gênero de poesia intimista, para dizer o mínimo.[134]

Em grego, *mélos*, palavra que deu origem ao gênero, significa simplesmente "canção". Nesse sentido, quando aqui dizemos "poesia" estamos nos referindo a um tipo de canção cuja execução era destinada à *performance* solo ou coral — isto é, acompanhada de um coro de dançarinos ou dançarinas que dançavam e cantavam ao ritmo dos instrumentos — e que fazia parte de uma tradição oral muito bem estabelecida na cultura grega da época. Além disso, essas canções relatavam episódios da experiência humana, da vida cotidiana nas *póleis* e propagavam valores morais, políticos e sociais (valores esses ilustrados, nas canções, por meio de episódios míticos familiares à audiência, cujo tom era pragmático): ou seja, elas existiam de maneira integrada à vida da comunidade e eram disseminadas pela oralidade. Nesse contexto, o poeta arcaico deveria se atentar a questões como: a matéria da canção, o metro, a ocasião social à qual a canção se destinaria, a linguagem, o tom e, não menos importante, à *performance*. Voltemos um pouco a este último elemento.

A *performance* solo de uma canção acontecia através de uma pessoa — que poderia ser o poeta ou não — em reuniões privadas das quais participavam homens aristocratas: os simpósios. Estes eram, em sentido amplo, a prática de beber junto. Nessas reuniões, restritas à classe social e ao gênero dos convivas, diversas canções eram *performadas* e *reperformadas* para a audiência que ali estava presente. Sobre a canção em modo coral, podemos dizer que sua *performance* acontecia em festivais cívico-religiosos (como bodas, funerais, competições atléticas etc.), que exaltavam homens e deuses ao mesmo tempo e que eram patrocinados pelos governantes das *póleis*. A participação da audiência em qualquer uma dessas modalidades refletia o papel central dos cidadãos na vida cultural das comunidades.[135]

---

[134] O termo *lírica* consolidou-se tardiamente, do período helenístico (323-31 a.C.) em diante, a partir do modo de *performance* das canções. Vide Ragusa (2021, p. 16-20; 36).
[135] RAGUSA, G. (org.) (trad.) *Hino a Afrodite e outros poemas – Safo de Lesbos*. 2ª ed. São Paulo: Hedra, 2021. p. 38-41.

Acerca da matéria das composições de Safo, destacam-se os temas relativos ao universo feminino: o casamento e a passagem das meninas da condição de *parthénoi* (moças, ainda virgens, que alcançaram a maturidade sexual) para a de *gyné* (mulher casada e adulta), a sexualidade e a feminilidade, de modo a apreciar e propagar os valores e os papéis femininos em voga. Essas composições eram, aliás, dirigidas ao seu grupo de *parthénoi*, que, presumivelmente, participava da *performance* das canções junto da própria poeta. É *mister* ressaltar que as meninas recebiam sua formação — *paideía* — através dessas canções; nelas, as jovens aprendiam o canto, a dança, a música, o conhecimento da tradição mítica, reafirmações de valores ético-morais e a preparação para o casamento (*gámos*), que era a porta de entrada para a integração social das mulheres, através do erotismo. Esse, por sua vez, compunha a outra temática de destaque na poesia de Safo: a erótico-amorosa, centrada na força do desejo avassalador (Eros — a própria divindade —, ainda que subordinado a Afrodite).[136]

Dissemos antes sobre a presença de Safo em nosso repertório, mas frisamos agora que muito de sua popularidade deu-se por causa de seus versos que cantavam o erotismo e o homoerotismo femininos. Safo é, em suma, a primeira figura feminina que conhecemos a compor canções cuja matéria principal era sobre esses assuntos. Em parte por causa do (pouco) que se sabe da vida da poeta, que supostamente teria mantido uma relação "impura" de amizade com uma moça chamada Átis,[137] em parte por causa de sua ilha natal, Lesbos, apontada como um local onde práticas sexuais promíscuas eram frequentes, a cultura universal passou a denominar as relações homoeróticas entre mulheres como "lesbianismo". No entanto, palavras que indicam as relações homoeróticas entre mulheres nos dias atuais (como "lesbianismo", "lésbico" ou "sáfico"), invenções modernas, não foram atestadas em nenhum momento, até onde se sabe, por qualquer fonte antiga. Segundo Maria Fernanda Brasete, uma classicista de Portugal, a carência de um léxico específico para essas relações residia no fato de que elas integravam, naturalmente, a vida daquela sociedade, "que nunca o entendeu de um modo discriminatório ou em termos psico-morais".[138] Aliás, as relações homoafetivas entre mulheres devem ter sido praticadas na Grécia com as finalidades

---

[136] Ibid. p. 42-45.
[137] Ibid. p. 20.
[138] BRASETE, M. F. Homoerotismo feminino na lírica grega arcaica: a poesia de Safo. In: FIALHO, M. do Céu et alii (eds.). *A sexualidade no mundo antigo*. Lisboa, Coimbra: Centro de História da Universidade de Lisboa/Centro de Estudos Clássicos e Humanísticos U. Coimbra, 2009, p. 292.

pedagógica e iniciática, porém não na mesma proporção do homoerotismo masculino, que era institucionalizado pela pederastia.[139]

Todavia, é impossível saber se essa era, de fato, a orientação sexual de Safo enquanto figura histórica, pois carecemos de maiores informações acerca da vida da poeta. E mesmo que as tivéssemos, a questão permaneceria obscura, pois o termo "lesbianismo" ainda seria anacrônico, uma vez que projetamos nosso entendimento e nossas experiências modernas a uma sociedade que vivia e que se comportava de um modo muito diferente do nosso. Nas palavras de Brasete:

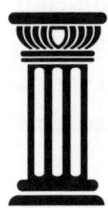

> A poesia de Safo não é [...] uma poesia verdadeiramente confessional e muito menos autobiográfica, pois como a análise dos fragmentos pode demonstrar, o "eu" é uma construção ficcional que, normalmente, se corporiza de uma forma dramática, isto é, na forma como se relaciona com o "outro", no modo como toma consciência da sua interioridade, não num sentido individual, mas comunitário.[140]

Apesar do caráter público da poesia arcaica e da figura histórica de Safo, há de se considerar que a temática das canções poderia exprimir algo da experiência e da vivência da poeta, e que as vozes e *personae* poéticas nas canções eram, em maioria, femininas. Nesse sentido, se definições simplistas e a total identificação da figura histórica com a *persona* poética são problemáticas, o total afastamento delas também o é. O ideal, conforme sugere Giuliana Ragusa, uma das maiores especialistas em Safo no Brasil, seria uma "certa medida de proximidade e outra de distância entre o *eu* do poeta e o de seus versos."[141].

Enfim, é árdua a tarefa de esboçar algo sobre a vida e a condição das mulheres — não apenas de Safo — na Grécia do período arcaico, visto que nosso conhecimento sobre elas é bastante escasso. Contudo, com o pouco que temos, é interessante notar como poetas mulheres estavam trabalhando com os elementos de uma tradição poética de autoria masculina, diga-se, no período em que estavam ativas. Essas mulheres, muito provavelmente, receberam uma educação diferenciada em meio aristocrata e deviam fazer parte de comunidades que permitiam uma maior e mais intensa participação feminina na vida da *pólis*. No caso de Safo, observa-se um diálogo com essa tradição sem qualquer crítica à cultura masculina dominante, pois a intenção é formar sujeitos sociais e preservar os elementos que identificam

---

[139] Ibid. p. 17.
[140] Ibid. p. 18.
[141] Ragusa, op. cit. p. 46

determinada sociedade; assim, a adesão aos valores e aos códigos vigentes era fundamental.[142]

SULPÍCIA

Falar de Sulpícia é sempre difícil, pois entramos em um terreno muito pantanoso, no qual podemos a qualquer momento cair num poço de areia movediça. Esse poço é o das várias correntes ideológicas e políticas que pretendem ou apagar a existência de uma mulher erudita na Antiguidade romana, ou, em vez disso, romantizar demais a figura de Sulpícia, projetando de modo anacrônico instituições e conceitos do mundo contemporâneo no mundo antigo. De todo modo, Sulpícia constitui-se até hoje num enigma na história da literatura romana.

Tudo o que se sabe sobre ela foi obtido a partir dos seus próprios poemas,[143] o que é sempre muito problemático, mas, de todo modo, ela teria sido uma autora de elegias do período augustano (compreendido, aproximadamente, entre os anos de 40 AEC e 14 AEC), e filha do político e orador romano Sérvio Sulpício Rufo.[144] São-lhe atribuídos seis poemas, que foram incorporados ao terceiro livro do *Corpus Tibullianum*, conjunto de poemas dispostos em quatro livros, dos quais pelo menos o primeiro e o segundo são amplamente aceitos como tendo autoria exclusiva do poeta romano Álbio Tibulo.[145]

A Reader.
Albert Joseph Moore, c. 1877.

---

[142] Lardinois (2011, pp. 161-162).
[143] GONÇALVES, V. A. A. Reinventando Sulpícia: uma voz feminina no "Corpus Tibullianum". *Mafuá*, Florianópolis, Santa Catarina, Brasil, n. 23, 2015.
[144] KEITH, A. Critical Trends in Interpreting Sulpicia. *The Classical World*, vol. 100, n° 1, 2006, p. 3.
[145] GONÇALVES, V. A. A. *op. cit. loc. cit.*

Além do pai, em um dos poemas, é possível identificar o nome do tio de Sulpícia: Marcos Valério Messala Corvino. Isso explicaria muita coisa, pois esse aristocrata da tradicional família Valéria foi o patrono de um grupo de poetas, dentre os quais estava Tibulo. O grupo ficou conhecido como o "Círculo de Messala", sendo um círculo de literatos alternativo ao "Círculo de Mecenas", outro grande apoiador e financiador de poetas. Ao que tudo indica, teria sido, então, por intermédio de seu tio Messala que Sulpícia foi introduzida ao mundo da poesia, chegando até mesmo a frequentar seu círculo.

Por muito tempo, acadêmicos pensavam que Sulpícia fosse apenas um heterônimo feminino de Tibulo, enquanto outros diziam que a autoria nem sequer de Tibulo era, mas de algum autor anônimo posterior.[146] A questão de ter sido arranjado dentro do *corpus* de poemas de Tibulo não implicaria necessariamente que não poderia haver poemas de outras pessoas, uma vez que Meleagro de Gadara, poeta grego, já havia reunido uma antologia de poemas, sua *Guirlanda*, em que se alternavam poemas de outros autores e os seus próprios. A explicação para essa inclusão faz pensar, na verdade, que seus poemas tiveram certa circulação pelo menos entre os participantes do Círculo de Messala.[147]

A questão é muito complexa, pois, ao longo de vários séculos, houve um apagamento da autoria de Sulpícia com base no argumento de que simplesmente não havia uma cultura literária feminina na Roma Antiga.[148] Contudo, recentemente, acadêmicos conseguiram documentar um arquivo substancial de textos escritos em latim de autoria feminina, tanto existentes quanto perdidos.[149] Além disso, a acadêmica Laurie J. Churchill organizou uma antologia em três volumes só de mulheres que escreveram em latim da Antiguidade até a Renascença.[150] Tendo isso em vista, podemos falar de uma espécie de "violência cultural", isto é, uma espécie de movimento coletivo que inibiu as mulheres da produção literária.[151] Sendo esse o caso de Sulpícia ou não, o que realmente importa é começarmos a olhar para a Antiguidade com uma visão mais ampla, embora sem descuidar do processo de sempre formular hipóteses bem teorizadas.

---

[146] KEITH, A. *op. cit.* p. 8-10.
[147] Ibid. p. 5.
[148] Ibid. p. 6.
[149] Ibid. p. 7.
[150] Cf. Churchill, L. J. (*et. al.*) (org.). *Women Writing Latin*. Coleção em três volumes. Abington: Routledge, 2013.
[151] KEITH, A. *op. cit.* p. 7.

PAIDEÍA: A EDUCAÇÃO DO HOMEM GREGO

O termo *paideía* (παιδεία) é usado amplamente para se referir ao modelo de educação e formação dos gregos. É um termo tardio, que apareceu por volta do séc. V AEC e denominava, a princípio, a educação destinada às crianças e aos jovens, conforme a própria palavra sugere: *paîdes* em grego significa "crianças". Vamos destacar dois momentos dessa formação: o primeiro, vigente no período arcaico, antes mesmo do termo *paideía* ser utilizado; o segundo, transformado pelos sofistas e filósofos entre os séculos IV e V AEC.

O modelo de educação antigo, do qual temos os primeiros registros em Homero, consistia em duas áreas maiores: a do corpo físico (*gymnastiké*) e a intelectual (*mousiké*). Essa última abrangia toda e qualquer atividade que provinha das Musas, ou seja, o canto, a dança, o domínio de algum instrumento musical, a poesia e até mesmo as práticas rituais. Como a característica mais marcante do período arcaico era a oralidade, não apenas as disciplinas da *mousiké*, mas sobretudo os valores ético-morais das comunidades eram transmitidos de maneira oral de geração para geração. A *paideía* era, portanto, o reconhecimento e a perpetuação dos modelos ancestrais que os jovens recebiam de seus antepassados, tendo, como inspiração, os melhores guerreiros ou os melhores atletas.[152]

O maior veículo para a disseminação desse modelo cultural era, justamente graças à oralidade, a poesia. Homero e Hesíodo são os grandes nomes desse período, pois, através deles, os gregos obtiveram a compreensão de todos os aspectos da vida: desde a criação do cosmos até a execução das mais simples atividades cotidianas. Eles eram uma espécie de enciclopédia de conhecimento coletivo, e esse conhecimento continuou a ser compartilhado pelas comunidades nos séculos seguintes por meio dos poetas líricos — ou mélicos —, herdeiros dessa mesma tradição poética e oral que ainda encontrava nas narrativas míticas tradicionais os grandes paradigmas para o modo de vida das *póleis*. Logo, até o final do período arcaico (sécs. VI-V AEC), o que

---

[152] ROBB, K. *Literacy and Paideia in Ancient Greece*. New York: Oxford University Press, 1994. p. 33.

depois foi chamado de *paideía* era nada além do que esse estilo de vida compartilhado pelos cidadãos.

Apesar de os estudiosos estimarem o advento do alfabeto grego algumas décadas antes de 750 AEC, o sistema educacional dos gregos manteve-se predominantemente oral e em sintonia com o modelo *"gymnastikḗ-mousikḗ"* até o séc. V AEC,[153] quando, em Atenas, a escrita passou a ser, no meio aristocrático, uma necessidade para atividades judiciais, políticas ou administrativas, sobretudo após o fortalecimento da democracia.[154]

Ainda em Atenas, anterior ao movimento dos sofistas — sábios e eruditos que dominavam técnicas de retórica, incentivavam o pensamento filosófico e ensinavam ambos em troca de pagamento —, que teve início depois da segunda metade do séc. V e que ganhou força no séc. IV, a *paideía* era uma prática institucionalizada que preservava o modelo antigo, mas que já acontecia de forma individual e contava com a presença de um tutor para a *gymnastikḗ*, outro para a *mousikḗ* e ainda um *grammatistēs* para o ensinamento da leitura e da escrita. Além disso, como os tutores recebiam pagamento por seus serviços, apenas crianças e jovens de famílias aristocratas recebiam tal instrução. Mais do que as habilidades físicas e intelectuais, o que se almejava alcançar com a educação formal dos cidadãos era a excelência moral (*aretḗ*): principal característica de um cidadão justo e útil para a sociedade, tendo como premissa os conceitos de "belo" (*kalós*) e "bom" (*agathós*).

As disciplinas eram ministradas em lugares distintos, mas, a princípio, qualquer espaço poderia servir para o propósito da *paideía*. Não obstante, o treinamento físico exigia mais espaço e equipamentos específicos e, por essa razão, poderiam ser realizados em palestras (uma espécie de "escolas de luta" privadas) ou em ginásios (construções maiores e mais elaboradas, de uso público, mas menos numerosas na cidade). Era no ginásio, inclusive, que os atletas treinavam para os jogos e, em tempos de guerra, as tropas militares iniciavam sua preparação.

Não havia, contudo, uma instituição como a nossa escola moderna para o desenvolvimento da *paideía* e, consequentemente, tampouco havia um programa curricular definido que durasse um período de tempo específico; recomendava-se, porém, que os jovens completassem sua educação antes de iniciarem a vida adulta, pois, a partir daí, aprenderiam outras habilidades na prática do convívio social da *pólis*. Vale apontar que antes do séc. IV AEC,

---

[153] Ibid. p. 21.
[154] Ibid. p. 13.

parece não haver indícios de que a educação militar era parte integrante da *paideía* tradicional, de modo que os jovens entre 18 e 20 anos entravam para o treinamento militar somente após concluírem toda a sua educação "básica".

Com a chegada dos sofistas, a instituição tradicional "*gymnastikḗ-mousikḗ*" foi modificada. Esses pensadores priorizavam os assuntos intelectuais e, portanto, minimizaram a importância da educação física; assim, o ginásio — onde os cidadãos passavam a maior parte de seu tempo livre praticando esportes — passou a ser um lugar para debater ideias e buscar conhecimento; ou seja, passou a ser o lugar para se aprender filosofia. Contudo, os sofistas também beneficiaram o sistema antigo de educação, pois eles estenderam a educação dos cidadãos para um segundo nível, um grau superior, por assim dizer: a educação básica ainda se mantinha, mas, assim que ela era concluída, os sofistas forneciam um tipo de educação guiada e supervisionada, a qual era amplamente divulgada em lugares públicos como o ginásio e a ágora. Como a maioria desses sofistas era estrangeira, os pensadores não construíram novos espaços ou estabeleceram escolas permanentes, e os grupos que eram criados durante o período de instrução logo eram desfeitos quando o curso terminava.

Um dos grandes nomes do movimento filosófico que se opunha à prática dos sofistas foi Sócrates: enquanto os sofistas viajavam pelas cidades e propunham um programa de estudos fixo para o segundo estágio da educação formal, Sócrates manteve-se em Atenas e estimulava os cidadãos a repensarem suas mais básicas concepções. Seu intuito era, sobretudo, incentivar o amadurecimento moral dos jovens através de associações, reflexões e deduções lógicas acerca de assuntos relativos à vida na pólis. Essa prática ia ao encontro do sistema de educação antigo, o qual ele ainda prezava. Além disso, ao que as fontes sugerem, ele também não cobrava taxas pela educação que fornecia.[155] Sócrates foi, ainda, o protagonista de diversos diálogos do filósofo Platão, o qual, por sua vez, apesar de ainda reconhecer a força da tradição mítica proveniente dos poemas épicos de Homero, pretende contestá-la como maneira eficaz de educar os cidadãos no auge do período clássico ateniense, conforme observamos nos diálogos *Íon* e *República*.[156]

Ainda em Atenas, a prática da pederastia (paiderastia) — que, inclusive, assim como *paideía*, também é formada pela palavra grega para "criança" παῖς (*paîs*) e pelo verbo grego "amar" ἐρᾶν (*erân*) — era parte integrante do processo

---

[155] LYNCH, J. P. *Aristotle's School:* A Study of a Greek Educational Institution. Berkeley; Los Angeles; London: University of California Press, 1972. p. 32-46.

[156] Robb, *op. cit.* 1994. p. 159-182.

preparatório de inserção do efebo no seio da sociedade ateniense.[157] Apesar de ter sido usada há alguns séculos como sinônimo de homossexualidade — que inclusive é um conceito moderno, desconhecido pelos antigos —, a pederastia era, sim, uma relação afetivo-sexual, mas que tinha características específicas como a formação social dos futuros cidadãos da Cidade-Estado.[158] Segundo nos descreve a doutora em história Luana Neres de Sousa, a pederastia funcionava da seguinte forma em Atenas:

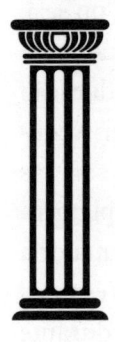

> *As relações pederásticas eram realizadas pelo erasta, que na obra platônica na maioria das vezes é traduzido por amante, e pelo erômeno, o amado. O erasta era um cidadão com papel ativo na sociedade, geralmente com mais de 30 anos, homem experiente e que sentia brotar em si uma vocação pedagógica ao tornar-se mestre de seu amado. O erômeno era um jovem filho de cidadão que, de acordo com a historiografia, geralmente possuía entre 12 e 18 anos. Devemos elucidar que as relações pederásticas ocorriam somente entre os cidadãos e futuros cidadãos de Atenas; as camadas sociais inferiores não participavam de tal processo e "cidadãos" no período clássico eram considerados apenas os homens nascidos em Atenas e filhos de pais provenientes de famílias atenienses, ou seja, os eupátridas.[159]*

Mesmo com as mudanças sofridas através dos séculos, o modelo educacional do período clássico, por meio dos filósofos, ainda partia das tradições poética e mítica do período arcaico, fosse para acatá-lo ou criticá-lo. Sendo assim, a popularidade e a relevância dos versos de Homero e de Hesíodo, que já eram suficientes para suprir a demanda de uma *paideía* ainda no período arcaico, permaneceram latentes no imaginário grego pelos próximos quatrocentos ou quinhentos anos. É inegável que essa façanha só foi possível, porque, para muito além do prazer que a audiência sentia ao ouvir as composições cantadas em seus círculos sociais, a matéria dos poemas é aquela mais familiar aos homens: a de sua própria existência na hierarquia do cosmos. E vejam se não são essas mesmas narrativas que ainda nos cativam, nos servem de exemplo e de reflexão e reverberam em nosso imaginário mais de dois mil anos depois.

---

[157] SOUSA, L. N. Platão e Aristófanes: visões acerca da Pederastia em Atenas no período Clássico. ANPUH – XXIV Simpósio Nacional de História – São Leopoldo, 2007. p. 2.
[158] Ibid. p. 3.
[159] Ibid. p. 2-3.

Linos (nomeado, à direita) segura um rolo de papiro enquanto o seu aluno, Mousaios (nomeado, à esquerda), segura tabuletas de escrita. Medalhão de uma kylix ática de figuras vermelhas, c. 440 a 435 AEC. Museu do Louvre.

EXPRESSÕES IDIOMÁTICAS COM ORIGEM NA MITOLOGIA GRECO-ROMANA

"Agradar gregos e troianos"

Significado: agradar a todos, agradar adversários ou concordar com ideias opostas.

A expressão tem origem nos exércitos inimigos durante os episódios da Guerra de Troia. O conflito, que durou dez anos, começou quando Helena, esposa do grego Menelau, foi raptada por Páris, príncipe troiano irmão de Heitor. Com o objetivo de reaver a esposa e se vingar de Páris, Menelau convocou aliados para lutar ao seu lado.

"Bancar o Cupido"

Significado: tentar unir duas pessoas ou fazer com que elas se apaixonem.

O Cupido, na mitologia romana, andava com suas flechas a disparar contra as suas "vítimas", fazendo com que elas se apaixonassem perdidamente. Assim, aquele que busca fazer alguém se apaixonar por outra pessoa é comparado ao deus.

> ### *"Bicho de sete cabeças"*
>
> **Significado:** uma grande ameaça ou um problema de difícil resolução.

Há duas possibilidades para a origem dessa expressão, e uma delas tem a ver com a mitologia grega. Em um de seus doze trabalhos quase impossíveis de serem executados, Héracles precisou enfrentar a Hidra de Lerna: uma criatura monstruosa que tinha sete (ou nove) cabeças de serpente num corpo de dragão. Quando uma das cabeças era decepada, logo se regenerava; versões tardias também apontam que duas cabeças nasciam no lugar. Héracles conseguiu derrotar o monstro com a ajuda de seu sobrinho, Iolau, que cauterizava as cabeças decepadas com uma tocha. A outra possibilidade para justificar a origem desta expressão é bíblica e remete à primeira besta do Apocalipse, que tinha sete cabeças e dez chifres.

> ### *"Carregar o mundo nas costas"*
>
> **Significado:** arcar com o peso das responsabilidades.

Na mitologia grega, Atlas era o titã que carregava o céu, o firmamento, sobre os ombros. Esta tarefa foi atribuída a ele por Zeus como punição pelo titã ter se rebelado, um dia, contra os deuses. Esse castigo deveria perdurar por toda a eternidade.

> ### *"Comer o fígado (de alguém)"*
>
> **Significado:** dar um castigo terrível a alguém, talvez um até pior do que a própria morte.

Prometeu era o titã que roubou o fogo dos deuses e entregou-o aos mortais. Como os mortais não deveriam ter esse conhecimento, Zeus castigou o titã e condenou-o a uma eternidade de dor e sofrimento, preso ao monte Cáucaso, enquanto uma águia devorava seu fígado todos os dias. Durante a noite, o órgão se regenerava e o suplício recomeçava.

> ### *"Calcanhar de Aquiles"*
>
> **Significado:** um ponto vulnerável, uma fraqueza.

Aquiles era um semideus e um dos melhores heróis da mitologia grega, praticamente invencível. Foi, também, um dos personagens principais da Guerra de Troia, lutando a favor dos gregos. Quando Aquiles nasceu, sua mãe mergulhou-o no rio Estige com o intuito de torná-lo imortal. Como ela segurou o bebê pelos calcanhares, esta parte não recebeu o banho e ficou vulnerável. No fim da Guerra de Troia, após a queda da cidade, o herói encontra seu terrível fim, pois é justamente em seu calcanhar que Páris, príncipe troiano, desfere uma flecha.

> ### *"Presente de grego"*
>
> **Significado:** circunstância que, a princípio, parece ser (ou deveria ser) positiva, mas acaba sendo negativa.

Esta expressão também está atrelada à Guerra de Troia. Com o objetivo de invadir os muros da cidade de Troia, os gregos fingiram voltar a seus navios e desistir da guerra, mas antes confeccionaram um cavalo de madeira, grande o suficiente para abrigar alguns guerreiros, e deixaram-no na praia. Os troianos, então, levam o cavalo para dentro da cidade para celebrar sua vitória. Contudo, ao anoitecer, os guerreiros saíram de seu esconderijo e, enquanto todos dormiam, conseguiram conquistar e destruir Troia.

> ### *"Uma verdadeira odisseia"*
>
> **Significado:** uma verdadeira aventura.

O poema épico *Odisseia* (c. séc. VIII-VII AEC), atribuído a Homero, narra os feitos de Odisseu (ou Ulisses para os romanos) no seu retorno para Ítaca, após o término da guerra de Troia. Odisseu levou quase 20 anos para regressar ao lar e, durante esse tempo, superou diversos desafios. Atualmente, "odisseia" significa uma jornada repleta de aventuras, mas, para os gregos, a palavra tinha origem no próprio nome do herói protagonista, ou seja, destinava-se a ele somente.

AS ORIGENS DOS JOGOS OLÍMPICOS

Talvez a maior influência da cultura grega nos dias atuais sejam os Jogos Olímpicos. Hoje em dia, eles são celebrados a cada quatro anos, sediados em diversos países, em todos os continentes, e contam com atletas de todas as nacionalidades e inúmeras modalidades esportivas. Mas como eles eram na Grécia Antiga?

O primeiro registro dos Jogos Olímpicos data do século VIII AEC, em 776, e as competições aconteceram durante um festival em honra a Zeus, em seu santuário em Olímpia. Entretanto, essa não era a única competição atlética dedicada a uma divindade. Havia, do mesmo modo: os Jogos Nemeus, em celebração a Zeus, na cidade de Nemeia; os Jogos Píticos, em honra a Apolo, em Delfos; e os Jogos Ístmicos, dedicados a Poseidon, próximos a seu santuário em Corinto. Os Jogos Olímpicos e os Jogos Píticos aconteciam de quatro em quatro anos; os Jogos Nemeus e os Jogos Ístmicos, em contrapartida, ocorriam de dois em dois anos. Assim, todos os quatro se intercalavam, completando o circuito que os gregos chamavam de *períodos*. Esses eram os maiores festivais competitivos, e reuniam cidadãos e visitantes de todos os lugares da Hélade (embora somente gregos pudessem competir). Por essa razão, são conhecidos como *pan-helênicos*.

Quanto às provas a serem vencidas, podemos citar: corridas a pé de 200 ou 400 metros, pentatlo (prova que engloba cinco modalidades: arremesso de disco, salto, corrida, arremesso de dardo e pugilato), boxe, pancrácio (espécie de combate envolvendo elementos de luta livre e pugilato), corrida com carros puxados por cavalos e corrida com armaduras. O prêmio para os vitoriosos em Olímpia era uma coroa de folhas de oliveira; para os vitoriosos em Delfos, uma coroa de folhas de loureiro; para os em Nemeia, uma coroa de aipo; para os em Corinto, nos Jogos Ístmicos, uma de pinheiro. Contudo, os atletas também recebiam canções e estátuas para exaltar e imortalizar suas vitórias, que traziam prestígio para suas famílias e comunidades. Alguns atletas podiam até mesmo receber dinheiro. Havia, ademais, competições menores acontecendo a todo momento por toda parte, esses eram os jogos locais. Além desses, há registros de jogos fúnebres, cujo objetivo era honrar o herói ou o atleta que havia falecido.

É fundamental compreender que a sociedade helênica era bastante competitiva. As disputas transcendiam os esportes e alcançavam os festivais de poesia, os discursos e as assembleias, os simpósios e qualquer outra oportunidade de se provar o melhor. Os gregos prezavam pela excelência do corpo e da mente: esses eram indissociáveis. Por essa razão, as competições, junto da educação política, social e intelectual, faziam parte da educação formal de um cidadão e constituíam um homem completo. Outro ponto a se acrescentar é que algumas dessas competições exigiam muito preparo por parte dos atletas, principalmente se considerarmos o teor das provas a serem feitas; portanto, é plausível que o competidor tivesse que despender determinada quantia. Sendo assim, observa-se que a grande maioria dos atletas vinham de famílias aristocratas. Tendo essas considerações em mente, é possível dizer que as competições atléticas abarcavam a educação, a cidadania, a identidade e a religião, ao mesmo tempo em que eram consequência delas.

Ânfora panatenaica. Prêmio de vitória, c. 530 AEC, representando uma corrida a pé. Atribuído ao pintor Eufileto. Museu Metropolitan, Nova Iorque.

MARAVILHAS DO MUNDO ANTIGO

Das conhecidas Sete Maravilhas do Mundo Antigo, os gregos participaram de pelo menos cinco, o que mostra quão habilidosos eram na arquitetura e na construção de estruturas colossais. Apenas as Pirâmides de Gizé e os Jardins Suspensos da Babilônia (que inclusive têm sua existência questionada), ao que se sabe, não tiveram influência grega.

As mais óbvias das Maravilhas gregas foram a estátua colossal de Zeus em Olímpia (com mais ou menos 13 metros de altura), feita de madeira e coberta de marfim e ouro; o templo de Ártemis em Éfeso (com uma colunata de 127 pilares); e o Colosso de Rodes, uma outra estátua colossal (dizem que pode ter sido maior do que a Estátua da Liberdade), mas dessa vez do deus-sol Hélio, localizada na entrada do porto de Rodes.[160]

O que muitos não sabem é que o Mausoléu de Halicarnasso e o Farol de Alexandria também foram frutos da arquitetura grega. O Farol de Alexandria deveu muito de sua construção à presença grega no Egito, enquanto o Mausoléu foi encomendado pelo sátrapa persa Mausolo e sua esposa-irmã Artemísia a arquitetos e escultores gregos famosos.

---

[160] HARRIS, G. et. al. Seven Wonders: The Ancient List. ArcGIS StoryMaps. Disponível em: <https://storymaps.arcgis.com/stories/8408d3eca80c41f6b6caf6252faa885d>. Acesso em: 13 dez. 2023.

COLOSSO DE RODES

New Geographical Dictionary, 1790.
Institut Cartogràfic de Catalunya.

MAUSOLÉU DE HALICARNASSO

Gravura, 1804-1811. Robert von Spalart / Wellcome Collection (CC BY 4.0).

FAROL DE ALEXANDRIA

Farol de Alexandria. Ilustração, 1721. Johann Bernhard Fischer von Erlach.

COLOSSO DE ZEUS

Colosso de Zeus em Olímpia. Entwurff einer historischen Architectur, 1725. Smithsonian.

TEMPLO DE ÁRTEMIS

Templo de Ártemis em Éfeso. Entwurff einer historischen Architectur, 1725. Smithsonian.

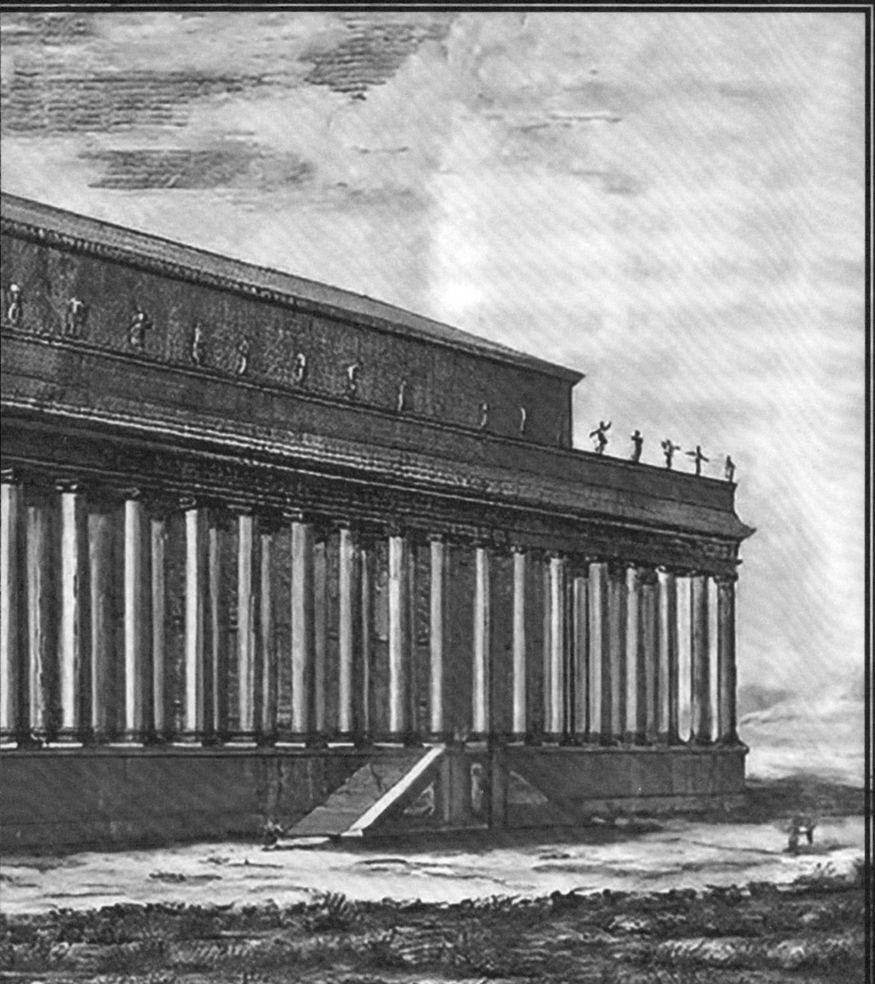

SOBRE OS PESQUISADORES DESTE VOLUME

A organização e redação dos textos deste livro foram feitas por dois classicistas (uma helenista e um latinista), que trabalharam pesquisando as narrativas nas fontes originais e produziram textos de apoio para auxiliar na compreensão dos textos antigos.

ISABELLA DEMARCHI

    É helenista, mestre e doutoranda em Letras Clássicas pela Universidade de São Paulo (USP). Atualmente, suas pesquisas se concentram na poesia lírica (mélica) da Grécia tardo-arcaica (sécs. VI-V AEC), sobretudo em Baquílides e Píndaro, poetas para os quais as narrativas míticas são fundamentais na elaboração de suas canções.

MICHAEL SANCHES

É latinista, fez graduação em Letras: Latim/Português pela Universidade de São Paulo e atualmente é mestrando na mesma instituição. Pesquisa no campo da estatuária, latim renascentista e a intersecção entre literatura e escultura antigas. O foco da pesquisa se concentra na tradução e interpretação de um tratado renascentista escrito em latim sobre estatuária (*De Statua*) pelo humanista Leon Battista Alberti.

BIBLIOGRAFIA

FONTES ANTIGAS

APOLODORO. *The Library of Greek Mythology*. Tradução: Robin Hard. New York: Oxford University Press, 2008.

DIONÍSIO DE HALICARNASSO. *The Roman antiquities*. Traduzido por Earnest Carry. Londres: William Heinemann, 1960.

EURÍPIDES. *Medeia*. Tradução: Mário da Gama Kury. Rio de Janeiro: Zahar, 2021.

HESÍODO. Teogonia. Trad. e Org.: Christian Werner. São Paulo: Hedra, 2013

HOMERO. *Odisseia*. Tradução: Frederico Lourenço. São Paulo: Penguin Classics Companhia das Letras, 2011.

HOMERO. *Ilíada*. Tradução: Frederico Lourenço. São Paulo: Penguin Classics Companhia das Letras, 2011.

HOMERO. *Ilíada*. Tradução de Haroldo de Campos; introdução e organização Trajano Vieira. 4. ed. São Paulo: Arx, 2003. Vol. I. vv. 194-198.

OVÍDIO. *Metamorfoses*. Tradução de Domingos Lucas Dias. São Paulo: Editora 34, 2017.

PAUSÂNIAS. *Descrição da Grécia: Corinto*. Capítulo 16, seção 6. Disponível em: <www.perseus.tufts.edu>. Acesso em: 03 fev. 2023.

PLATÃO. *Timeu-Crítias*. Tradução, introdução e notas: Rodolfo Lopes. Coimbra: CECH (Centro de Estudos Clássicos e Humanísticos), 2011.

RODES, APOLÔNIO DE. *Argonáuticas*. Organização e Tradução: Fernando Rodrigues Junior. São Paulo: Perspectiva, 2021.

SÓFOCLES. *A trilogia tebana: Édipo Rei, Édipo em Colono, Antígona*. Tradução: Mário da Gama Kury. Rio de Janeiro: Zahar, 1990.

SÓFOCLES. *As Traquínias*. Tradução: Jaa Torrano. São Paulo: Ateliê Editorial-Mnema, 2022.

TITO LÍVIO. *História de Roma*. Vol 2. Tradução: Paulo Matos Peixoto. São Paulo: Paumape, 1989.

VIRGÍLIO. *Eneida*: edição bilíngue. Tradução de Carlos A. Nunes. 2. ed. São Paulo: Editora 34, 2016.

FONTES MODERNAS

ANDREWS, A. *The Greek Tyrants*. New York: Harper & Row, 1963.

ARCHAI #51. *Hipátia*. [Locução de:] Marcela Diniz. Entrevistado: Nathalia Monseff Junqueira. Archai, 18 fev. 2022. Podcast. Disponível em: <https://open.spotify.com/episode/30z0KG455ks2jN-ZzEKL2lo?si=cf1e3fb9a00c438d>. Acesso em; 05 jan. 2023.

BEARD, M. *SPQR*: A History of Ancient Rome. Londres: Profile Books, 2015.

BRASETE, M. F. O amor na poesia de Safo. In: FERREIRA, A. M. (ed.). Percursos de *Eros – representação do erotismo*. Aveiro: Universidade de Aveiro, 2003, pp. 17-26.

BRASETE, M. F. Homoerotismo feminino na lírica grega arcaica: a poesia de Safo. In: FIALHO, M. do Céu et alii (eds.). *A sexualidade no mundo antigo*. Lisboa, Coimbra: Centro de História da Universidade de Lisboa/Centro de Estudos Clássicos e Humanísticos U. Coimbra, 2009, pp. 289-303.

BRITANNICA. *Indo-European People*: Italy. Disponível em: < https://www.britannica.com/topic/Indo-European>. Acesso em: 18 jan. 2023.

BRITANNICA. *Ajax, the Lesser*. Disponível em: <https://www.britannica.com/topic/Ajax-the-Lesser>. Acesso: 03 fev. 2023.

BROUWERS, J. *Aeneas before Virgil*: Early Greek sources about the Trojan hero. Disponível em: <https://www.joshobrouwers.com/articles/aeneas-before-virgil-early-greek-sources-trojan-hero/>. Acesso em: 25 jan. 2023.

DE GRUMMOND, N. T. Ethnicity and the Etruscans. In: MCINERNEY, J. (Org.). *A Companion to Ethnicity in the Ancient Mediterranean*. Chichester: John Wiley & Sons, Inc., 2014. pp. 405–422.

DUNKLE, R. *Gladiators*: Violence and Spectacle in Ancient Rome. Nova Iorque: Routledge, 2008.

FORSYTHE, G. *A Critical History of Early Rome*: From Prehistory to the First Punic War. Los Angeles: California University Press, 2005.

FONTENROSE, J. E. Apollo and the Sun-God in Ovid. *The American Journal of Philology*, vol. 61, n° 4, 1940, pp. 429–44.

FUNARI, P. P. *Grécia e Roma*. São Paulo: Editora Contexto, 2018. p. 9-21.

GONÇALVES, V. A. A. Reinventando Sulpícia: uma voz feminina no "Corpus Tibullianum". *Mafuá*, Florianópolis, Santa Catarina, Brasil, n. 23, 2015.

GRAVES, R. *Mitos Gregos*. 2 vols. Tradução: Fernando Klabin. Rio de Janeiro: Nova Fronteira, 2018.

HALL, J. M. Quem eram os Gregos. In: *Revista do Museu de Arqueologia e Etnologia*, vol. 11. São Paulo, 2001, pp. 213-225.

HARRIS, G. et. al. Seven Wonders: The Ancient List. *ArcGIS StoryMaps*. Disponível em: <https://storymaps.arcgis.com/stories/8408d3eca80c41f6b6caf6252faa885d>. Acesso em: 13 dez. 2023.

KEITH, A. Critical Trends in Interpreting Sulpicia. *The Classical World*, vol. 100, n° 1, 2006, pp. 3–10.

KINGSLEY, C. *The Heroes*: or the Greek Fairy Tales for My Children. Nova Iorque: R. H. Russell Publisher, 1901.

LARDINOIS, A. "The *parrhesia* of young female choruses in ancient Greece". In: ATHANASSAKI, L.; BOWIE, E. (eds.). *Archaic and classical song: performance, politics and dissemination*. Berlin: De Gruyter, 2011, pp. 161-172.

LYNCH, J. P. *Aristotle's School*: A Study of a Greek Educational Institution. Berkeley; Los Angeles; London: University of California Press, 1972.

MARTINS, P. *Literatura latina*. Curitiba: IESDE Brasil, 2009.

MAYOR, A. Did Amazons Roam Ancient Rome? *Antigone Journal*. Disponível em: <https://antigonejournal.com/about/>. Acesso em: 06 fev. 2022.

MAYOR, A. Did the Amazons really exist? *TED-Ed*. Disponível em: <https://ed.ted.com/lessons/did-the-amazons-really-exist-adrienne-mayor>. Acesso em: 07 fev. 2023.

MOTA, T. E. A. A viagem de Eneias rumo ao Ocidente mediterrânico: uma genealogia do mito do herói prófugo. *Romanitas* – Revista de Estudos Grecolatinos, n. 18, p. 40-63, 2021.

NETO, J. A. O. Breve anatomia de um clássico. In: VIRGÍLIO. *Eneida*: edição bilíngue. Tradução de Carlos A. Nunes. 2. ed. São Paulo: Editora 34, 2016. p. 9-65.

NOITES GREGAS: #45 - Troia. Locução de: Claudio Moreno e Filipe Speck. [S.l.]: agosto de 2022. Podcast. Disponível em: <https://open.spotify.com/episode/2n5CFWmpE4zoSSfn5JGaEr?si=95300433b2714a84>. Acesso em: dezembro de 2022

NOITES GREGAS: #46 - Os pais de Aquiles. Locução de: Claudio Moreno e Filipe Speck. [S.l.]: agosto de 2022. Podcast. Disponível em: <https://open.spotify.com/episode/06ptEBbAgNBDLG0iH7oL95?si=77cc35be451b406e>. Acesso em: dezembro de 2022.

NOITES GREGAS: #47 – O pomo da discórdia. Locução de: Claudio Moreno e Filipe Speck. [S.l.]: agosto de 2022. Podcast. Disponível em: <https://open.spotify.com/episode/23sFHH4xitFk98ZNV4Qkg3?si=5e58efd8b32c4388>. Acesso em: dezembro de 2022.

RAGUSA, G. (org.) (trad.) *Hino a Afrodite e outros poemas – Safo de Lesbos*. 2ª ed. São Paulo: Hedra, 2021.

ROBB, K. *Literacy and Paideia in Ancient Greece*. New York: Oxford University Press, 1994.

ROCHA, R. A influência da tragédia na Alexandra, de Lícofron, e a questão da performance. *Letras Clássicas*, n. 12, p. 187-199, 2008.

RODRIGUES, M. A. A æmulatio senequiana: o caso da tragédia *Agamêmnon*. *Classica*, v. 33, n. 1, p. 31-49, 2020.

SCI NEWS. *Minoans and Mycenaeans Descended from Anatolian Migrants, Ancient DNA Study Suggests*. Disponível em: <https://www.sci.news/genetics/minoans-mycenaeans-anatolian-migrants-05100.html>. Acesso em: 17 jan. 2022.

SILVA, M. A. O. Da República ao Império: considerações sobre as biografias de Plutarco. In: POMPEU, A. M. C.; SOUZA, F. E. O. (Orgs.). *Grécia e Roma no universo de Augusto*. Coimbra: Imprensa da Universidade de Coimbra, 2015.

SILVA, M. A. O. Resenha de "Gladiadores na Roma Antiga: dos combates às paixões

Cotidianas". *História*, São Paulo, v. 26, n. 1, p. 203-206, 2007.

SOUSA, L. N. Platão e Aristófanes: visões acerca da Pederastia em Atenas no período Clássico. *ANPUH – XXIV Simpósio Nacional de História* – São Leopoldo, 2007.

TAAGEPERA, R. Size and Duration of Empires: Growth-Decline Curves, 600 B.C. to 600 A.D. *Social Science History*, vol. 3, no. 3/4, 1979, pp. 115–38.

THE MET. *List of Rulers of the Roman Empire*. Disponível em: < https://www.metmuseum.org/toah/hd/roru/hd_roru.htm>. Acesso em: 20 jan. 2023.

WICHMANN, A. History of Mermaids and their Origins in Ancient Greek Sirens. *Greek Reporter*. Disponível em: <https://greekreporter.com/2022/09/03/history-of-mermaids-and-their-origins-in-ancient-greek-sirens/> . Acesso em: 09 fev. 2023.

WIENER, M. H. The Mycenaean Conquest of Minoan Crete. In: MACDONALD, C. F. (Orgs.) et. al. *The Great Islands*: Studies of Crete and Cyprus presented to Gerald Cadogan. Atenas: Kapon Editions, 2015.

**Informações sobre nossas publicações
e nossos últimos lançamentos**

🌐 editorapandorga.com.br

📷 @editorapandorga

f /editorapandorga

✉ sac@editorapandorga.com.br

PandorgA